LOCUS

LOCUS

LOCUS

LOCUS

catch

catch your eyes ; catch your heart ; catch your mind……

catch 12 全職殺手之美麗街的約會

作者：彭浩翔
責任編輯：韓秀玫
美術編輯：何萍萍
法律顧問：全理律師事務所董安丹律師
發行人：廖立文
出版者：大塊文化出版股份有限公司
台北市117羅斯福路六段142巷20弄2-3號 **讀者服務專線：080-006689**
TEL：(02) 29357190 FAX：(02) 29356037
信箱：新店郵政16之28號信箱
郵撥帳號：18955675 戶名：大塊文化出版股份有限公司
e-mail:locus@ms12.hinet.net

行政院新聞局局版北市業字第706號

總經銷：北城圖書有限公司
地址：台北縣二重市大智路139號
TEL：(02) 29818089 (代表號) FAX：(02) 29883028 29813049

初版一刷：1998年8月

定價：新台幣180元

Printed in Taiwan

全職殺手之美麗街的約會

FULL TIME HIT MAN

彭浩翔◎著

自序——一句話二十五萬

彭浩翔

記得在九五年春天某一日，某位作家前輩在喝奶茶時跟我說了一句話：「你故事中的天馬行空，除了象徵你具想像力之外，還表示了你的懶惰。」

說實話，那時仍是二十一歲的我，根本就對這句話聽不入耳，還幼稚到認爲他是嫉妒我的才情（現在回想起來，這是多教人臉紅的想法），但後來離開了原來任職的機構後，我仍偶爾會想起他那句話，於是開始認眞地反思，我發現原來自己過去的創作，經常爲自己作掩飾，美其名爲「純感覺」，其實是思考的懶惰。

我發覺那前輩說對了，那時正是一九九五年的聖誕。

於是，我決定減少其他無謂的工作，專心構思一部認眞和不懶惰的小說，這就是二十五萬字的《全職殺手》。

一直以來，我都想寫一個談藝術創作態度的故事，O和托爾之間的故事大綱，早已在我腦內醞釀多時，我再花兩、三個月的時間去整理情節。由於那時我正跟林海峰和葛民輝一起編劇本（結果那齣電影拍不成，胎死腹中），因此有著點空閒時間，故事粗略的分場已經成形，於是我也開始動筆。

可是隨後我又發現了一個問題，那就是我對有關殺手的生活和認識都相當不足，跟著我再看看市面上一般有關殺手的小說和電影，總是存在著普遍的漏弊：資料不足、欠缺眞實感、殺手性格表面化等。似乎沒有人要認眞探討一下他們的內心世界，他們除了是租書店廉價小說的主角外，就什麼也不是。

這只是肥皀劇編劇們一廂情願的想法吧。

我因此擔心自己再勉強寫下去，也會變成了他們的一份子。

所以，我請了幾個要好的朋友到西貢燒烤，當大伙兒吃得七葷八素時，我便拿出那疊八十多頁厚甸甸的原稿紙，用一種近乎「自宮」或「切腹」似的悲痛沈重心情，將它抛下火堆之中。就像《驚天大行動》中的那反派一樣。

三萬字就這樣唏哈一聲化成了煙灰，燃燒殆盡。

接著，我開始著手爲故事作詳盡的資料搜集和採訪，期間給予我最大幫助的，是我在美國拉斯維加斯的哥哥彭浩揚。他一直不厭其煩地替我找些我想要的資料、書籍和影帶，有些甚至是美國非法留傳的寶貴資料。而他豐富的槍械知識又令他看過我的初稿後，給了許多寶貴的意見。有一晚，我甚至半夜收到了他的長途電話。

「沒什麼，」他告訴我。「這兒有人自製了.9mm 手槍用的散彈非法販賣，可用於白朗寧手槍，我想對你的故事有幫助。要我替你訂購嗎？」

不用，但謝謝。

資料以快遞寄到了，全部是英文的。我的英文底子不好，正懊惱著怎麼辦的時候，從紐西蘭回來香港渡假的徐素雯和彭美琪小姐卻花了整整一個假期，替我翻譯了大部分的資料。

除此之外，還有一大堆好朋友，用一種彷彿受薪似的積極態度去幫助我，替我在圖書館找書、拍環境照片、做錄影帶目錄，買日用品和食物……

而我最內疚的，是每當我跟她們說「謝謝」時，她們總是定眼看著你，從眼中看到她們的一句話：

「唉，前世眞不知道欠了你什麼？」

接著又繼續幫我東奔西走。

而由於過去一直在傳媒工作的關係，我才有機會接觸到一些有背景的江湖人士，透過朋友的幫助，我認識了本地的職業殺手。我花了幾個月的時間和他們混熟、來往，發覺他們其實外表舉止都平凡得可以，要不是他們給我看他們的手槍，我甚至不大相信他們是殺手。

「一旦有槍在身，就得更加少惹麻煩，否則很難長命。」他們其中一人告訴我。因此，他們除了執行任務外，其他時候根本跟平常人無異，會去爬山遠足、唱卡拉OK，坐地鐵。

大概有點不可思議，但他們當中有一個二十七、八歲的年輕人，手臂有一隻老虎或豹之類的紋身。我每次看到他，他手中都棒著一本《李天命的思考藝術》。書的封面已經縐成卷狀，書內也沾滿了奶茶和菸灰。他告訴我，這書是一個前輩介紹給他讀的，他已經看了大半年，但只讀了一半。

「他的理論很正點，很好用。」當我問他為何讀此書時，他如此回答。大概連李天命先生本人也預計不到吧！

而他們生活中的娛樂，就是去看動作片（特別是以殺手為題材的），他們想看的不是別的，而是想看看電影中的殺手，是何等的好笑，他們會邊看電影邊告訴我，「黑星手槍根本不可能射到街尾那主角！」、「那刀根本不可能一刀砍下他的手啊！」之類的話。

「那編劇不是殺手，一點都不眞實。」他們其中一個說。

因此，要是他們讀過此書後，仍感到我未能把他們的眞實感情描寫出來，就請容我說句對不起。

正如郁達夫所說，未殺過人的人，寫不出殺人時的感覺，即使讀者看上去很逼眞，也全因讀者本身沒有殺過人的緣故。

我沒有當過殺手，因此只是盡量力求眞實而已。

在此，我想說明一點，這是一本講述兩種不同創作態度的小說。小說是「閑書」，並沒有什麼道德道理可言，正如鍾阿城在《閑話閑說》中所言：「以前說『文以載道』，這個『道』是由『文章』來載的，小說不載。小說若載道，何至於在古代叫人目爲閑書？古典小說裡至多有個『勸』，勸過了，該講什麼講什麼。」

最後我還得多謝某週刊的副總編輯，我們本來是好朋友，大概他見到我故事一直無法下筆，於是就決定幫上一把，「以朋友道義」——套用他自己的說話——的立場誣衊我，不惜冒上「文人相輕」之嫌，讓我可以減少無謂的俗務，專心寫這故事。

這樣的用心良苦行爲，不是眞的「好朋友」是做不到的。因此我相信他日後仍會做許多類似的事。

這天，我明白許多，不想在此一一細述。但我想引述一個看過這故事的朋友的評語：

這不是一本每個人都喜歡的書。

對，他說得對，這不是每個人都喜歡的書，但沒關係，我從來都沒有要求每個人都喜歡我。因此，要是你在看了兩章後，發現你根本看不下去的話，沒關係，你大可把書寄回給我，我在手頭鬆一點的時候，自然會把錢寄回給你。

而如果你覺得你只對看故事有興趣，但根本不想了解什麼的話，沒關係，只要跳過那些註解不看就是了。

是，你可能覺得黑手黨、山口組或俄羅斯黑幫這類幫派，只會在好萊塢電影中出現。但其實根據各方的資料顯示，全球黑幫已經全面控制了地球上六分之一的陸地，僅是販毒、軍火走私的收入，每年就已超過一兆五千億美元，佔世界金錢的四分之一。而且，自從八〇年代末期到九〇年代初期，由西西里及美國黑幫、土耳其軍火毒品黑幫、俄羅斯黑幫、山口組和香港三合會黑幫，已經進行了犯罪史上最大型的「行動焊合」(Operational Welding)，自此香港堂口跟外國黑社會的合作會更加緊密。香港在將來會成爲全球黑幫亞洲區的聯絡點，大量的黑錢會由中南美洲流入香港清洗，金三角毒品經香港轉銷全球……

因此，不要以爲教科書沒有提及，世界就沒有發生那種事。

地球每天在自轉、公轉，暴力、犯罪、黑幫就活我們身邊。也許看不見，但絕對逃不了。

故事主要人物簡介

O（陳浩然）——原名馬志豪。因兄長關係而成爲刺客，其後兄長失手被殺，便開始獨自工作，漸成爲一級刺客。爲人沈默，懂得自我保護，不愛冒險。

七叔（李天燊）——電動玩具店的管理員，本身亦曾爲刺客，受傷退休後便開始擔任馬志輝的三拆。其後輝死便開始替O當三拆。

馬志輝——O的哥哥，爲一刺客，並帶O入行，其後失手被殺。

托爾（駱達華）——身分神祕之歐亞混血兒，爲近年亞洲區竄得最快的新晉刺客。性格狂妄，有自毀傾向。

鄭錦富——有組織及三合會調查科B隊之高級督察，一直負責調查托爾及O的案件。

Gi Gi（呂麗琪）——有組織及三合會調查科B隊之探員，爲鄭錦富下屬，對鄭仰慕已久。

阿琛（葉念琛）——探員。

鏘仔（朱繼鏘）——探員。

Bill（炳金盛）——印尼華僑，本地幫會小頭目，爲集團二拆，雖欣賞旗下的托爾，但對他的狂妄亦有所顧忌。

阿雯（徐素雯）——繼 Maggie 之後替O作清潔打掃的少女，爲人活躍好動。

黃明理——商人。O之行刺目標之一。

Maggie（彭美祺）——書院學生，兼職替O在麗港的家作打掃，爲O的暗戀對象。

Mr.Black——墨西哥 EZLN 遊擊隊高級成員，專程來港買軍火。

白志堅——酒店房間清潔員，O的中五同學。

敎宗——殺手集團負責人，身分神祕。

紅毛仔（盧瑟夫）——美籍華人，爲軍火集團的成員。殺 Maggie 的兇手。

媚姨（葛亞媚）——墳場管理員。

鄭惠香——地產公司女東主。被殺。

周兆倫——高級警司。鄭錦富B隊的直屬上司，一直懷疑O是否存在。

老泥（謝民武）——聯義興四二六雙花紅棍。被殺。

權哥（郭沛權）——國軍將領。本爲七叔父親下屬。四九年後撤至調景嶺定居。其後帶七叔入行。

一般殺手集團架構圖

事主

↕

經紀（5%）

↑

集團負責人（30%）

↓

大拆（5%）

↓

二拆（5%）

↓

三拆（或殺手）（3%）

↕

助手——殺手（52%）

↓

目標

↑ 單向聯絡

↕ 雙向聯絡

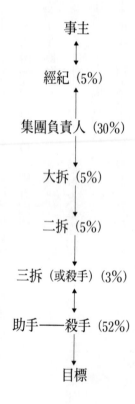

事主：必須經過經紀人介紹，否則永遠搭不上殺手集團。以一般行規，事主必須在行動進入策劃階段前，將全數費用付予經紀人。事主與經紀雙方可以在事前作雙向聯絡，但一旦行動進行後，事主則嚴禁主動聯絡經紀，避免被警方盯上。

而除了付聘殺手的費用外，事主事後還需要繳付殺手及其助手在策劃行動期間的一切必要開支。

經紀：事主在集團之間的橋樑和擔保人。每次當經紀接到訂單。便會在特定報章中刊登廣告（每個經紀與集團之間也有預定的報刊聯絡次序，例如第一次聯絡為A報，接著為B報，然後C、C、A、B、A、C之類。到了某個數目後又再循環一次。因此並非限於某一報紙，而且次序絕不能有錯，否則聯絡自動中斷。）集團在看到廣告後便主動聯絡經紀。經紀在扣除個人5%的佣金後，要在行動進入策劃階段前，將半數費用（即全數的47.5%）付予集團。待任務完成後，再將餘數付予集團。如行動失敗或集團決定中止合約，經紀有義務替事主收回已付集團的47.5%訂金。並將款項歸還事主。但其5%的佣金則不用歸還。而當日後事主再找經紀殺同一目標時，他則不應再收取佣金。

集團負責人：整個架構中最神祕的人，與大拆及經紀均透過單向聯絡，沒有人清楚他的身分和位置。他/她是整個行動的負責人，信用必須相當良好，除非有特殊理由，否則收取訂金後就必須履行合約，如行動之殺手失敗或被殺，集團負責人必須安排另一殺手補上或退還訂金，而損失之費用，應由負責人承擔。

一般負責人所抽的佣金為全數之30%，在收到47.5%的訂金後，負責人會先抽起自己的一半佣金，即15%，然後再將餘下之32.5%訂金付予大拆。而聯絡方法大致跟經紀間的方法相同。

大拆：即為集團之最大批發商，一般每個集團均有五個或以上的大拆，分別負責不同類型之任務，大拆一般為兼職的，一個大拆可以隸屬多個集團，而為了安全理由，集團一般不會直接找殺手進行交易，必須透過大拆、二拆（甚至三拆）等最少三層來進行交易。以保障事後不會被追查到。

一般大拆佣金為全數5%，在收到32.5%訂金後，大拆會先取2.5%，然後將30%交予二拆。（每個大拆旗下最少要有三個或以上的二拆）。

三拆：多數為一些退休的殺手所做的，跟大拆和二拆不同，三拆旗下只會有一個殺手，這殺手多爲三拆當殺手時的助手，而遇上某些特別情況，三拆也可能自己接訂單執行任務。如果他將任務發給殺手的話，自己就抽取全數之3%作佣金。而他則要負責各樣事前準備，包括搭路，提供通行證及槍械之類。在抽起自己一半佣金後，需在行動前將26%之訂金交予殺手（三拆跟殺手間可作雙向聯絡）。

殺手：殺手所取之費用爲全數52%，但在策劃至行動期間所用的車馬費、飲食費，則可在任務完成後再由集團向事主代爲收取，一般爲全數之5%－10%左右，因此這類雜費又稱爲「加一」。如任務失敗，除非事主要求或有特殊理由，否則殺手應盡快再次向目標進行攻擊，直到目標被殺爲止。如不能完成任務，殺手須全數交還訂金，而要是日後集團再委託他刺殺同一目標時，殺手就不能再收「加工」。

助手：並非每個殺手都有助手的，完全視殺手之個人喜好。每次行動時，助手就負責協助殺手完成任務，工作包括駕車、狙擊時報距及掩護，殺手受傷時負責補上完成任務或製造混亂，讓殺手有機會逃離現場。助手每次所收費用均不同，視該次任務之性質及與殺手之關係而定。一般爲5%－20%不等。而助手也有分屬固定殺手或自由身分的兼職。

二拆：即第二批發商，形式跟大拆相同，在抽起2.5%佣金後，便會將27.5%訂金交予三拆（每個二拆旗下最少要有三個或以上的三拆）。

全職殺手之二 美麗街的約會

目錄

《全職殺手之神人中最強者》故事大綱：

一直保護自己，避免冒險的刺客O，被另一年輕殺手托爾纏上，托不斷騷擾O，又槍殺了他的刺殺目標，引起了一直調查O的鄭錦富注意。為了擺脫托爾，O萌生了退隱的念頭，另一方面，O因為自己的自私，導致暗戀對象Maggie的死而一直活於罪疚當中。此時活潑好動的阿雯出現，O開始質疑，到底自己應該繼續抗拒接觸以保護自己，還是要為愛情而冒一次險？

與此同時，他和托爾之間，又產生了仇敵以外的另一種感情……

10 印尼炒飯・崔子棫齊君・南灣街口

鬧市變殺戮戰場　眼珠被挖鑲炒飯

獨行殺手店內開槍連環擊斃十一人

【本報訊】本港腥風血雨的黑幫仇殺事件一浪接一浪。自鰂魚涌地下鐵站內發生槍殺事件後不足四十八小時，跑馬地一間印尼餐館內，又發生激烈槍戰。該店印尼籍東主遭懷疑職業殺手挖爆雙眼斃命，而眼窩更被兇徒加入印尼炒飯，手法異常兇殘。事後兇徒更與店內東主保鏢及職員發生了槍戰，並擊斃了店內十名人員及客人，事後逃去無踪。

警方有組織罪案及三合會調查科（O記）正展開調查。負責該案之高級督察鄭錦富形容該兇手異常冷血，手段兇殘，屬於極度危險人物。正調查其殺人動機，現階段不排除牽涉近期多宗暗殺事件。除此之外，警方亦懷疑該事件之兇手亦是較早前地鐵站槍殺案之兇手。

近日本地仇殺事件日趨嚴重，連昨日在內，今年至少已發生六宗嚴重槍擊事件，情況令人憂慮。

餐館疑涉及黑幫活動

鄭錦富表示，由於現場屬於死者開設的一家印尼餐館，經常有黑幫人物出入，加上東主本身的背景特殊。因此這方面亦已列入警方偵查重點。

遇害東主炳金盛，五十五歲。綽號「大舊標」，與妻兒居於深井某村屋單位。事主爲一名印尼華僑，年少時來港。據悉爲黑幫成員。早年已因狠辣性格而在黑道成名。但近年已稍爲收斂。

警方懷疑死者過去曾一直透過表面經營餐館，暗中經營各類非法勾當，包括放高利貸及非法賭馬等。

事主被發現倒斃於餐廳之二樓，身體有多處明顯傷痕，懷疑生前曾與人作激烈打鬥，而事主因被硬物擊爆雙眼，腦部受創而斃命，事後更被人於眼窩處鑲入印尼炒飯。可見兇徒動機並非單純的劫殺，故現不排除有社團份子在店內執行「家法」。

閣樓傳出槍聲

據現場的受傷食客李先生透露，事發大約爲昨晚八時四十分左右。在二樓閣樓首先傳出激烈吵架和打鬥聲，接著就傳出連串槍聲，店內多名職員正想上二樓查看，誰知突然有男子持槍從閣樓衝下來，於是雙方爆發了槍戰，據警方事後估計，兩幫人馬最少開火超過七十槍。結果店內連東主在內共有九名職員喪生，另有一名職員受傷送醫。食客方面則有兩人在混亂中被流彈擊斃，另有六名食客受傷送醫，除一大腿中彈的女乘客需留院外，其餘敷藥後已經

發子彈。

出院。而兇徒事後則逃去無踪。

警方事後在現場拾獲四枝黑星手槍、一枝前捷克斯拉夫製的 Vz 61 型輕機槍，及七十多

午飯時間，鄭錦富伏在自己的辦公桌上閉目休息。

他實在太疲倦了，已經足足五十七小時沒有睡覺了。不是到槍戰現場視察就是看那些〇

看過的書。他的體力已遠超過他透支的限額了。因此他只好極不情願地伏案小睡。

「鄭 Sir。」鏘仔和阿琛匆忙地跑進來，鄭馬上嚇得鄭整個人彈起來。

「噢……Sorry Sir。」

「沒關係，怎樣？」鄭說著一面擦擦眼。「找到北京奧委的負責人嗎？他們怎麼說？」

「已經找到了，他們說原來自從巴塞隆納一役後，駱達華的表現一直未如理想。大半年

後，他以外婆有病需人照顧爲理由，申請退出國家射擊隊。但北京射擊總會還沒有正式批下

來，他已經擅自離隊。傳聞他回到了天津。」鏘仔向鄭報告。

「那可以要求天津公安局找他的外婆嗎？」

「我們嘗試問過了，」德仔說。「但他們說駱的外婆在九三年二月已經去世。」

「斷六親嗎？」

「不，還有一個瑞典籍的父親，可是天津的資料不足，相信不可能找到。我盡量核對一

下在港的瑞典籍居民或海員，看看他是否在港。而北京方面要明早才可把駱的指模副本傳眞過來。」

「嗯哼。」鄭點點頭。

「另外，」阿琛此時補充說。「我已到海關査過了，並無駱達華的入境記錄。」

「他有點外國血統，要是他持假護照入境，海關也可能沒有發覺。」鄭錦富喃喃地說。

「那現在應該怎樣呢？Sir。」

「再盤問一下在醫院中的那個職員，逼他供出那傢伙跟『大舊標』的關係和聯絡方法。否則的話就結案控告他們藏械和謀殺。」

「Yes Sir。」二人向鄭敬禮後便退出了房間。

當房間內再剩下鄭一人時，他的睡意已稍退了，他在想大概怎樣盤問，也不可能從醫院的職員口中套到甚麼線索，現場顯示這似乎不是一宗買兇殺人事件，而是一次窩裡反的內鬨，因此旣然駱殺了大舊標，那舊有的聯絡方法也毫無用處吧。

照推斷，大舊標極有可能是駱在港的經紀人。但駱在上次會展的槍戰後，已經曝光了，不可能再接生意。理應自行「潛水」，即使他個人不願，集團也會安排他出境暫避風頭才是嘛。怎麼還會安排他大鬧鯽魚涌地鐵站呢？

而且駱的手法瘋狂，每次總是以血流成河的結果收場，如此囂張的態度，一定會成爲警方和媒體的焦點，這間接會增加大舊標這個作爲中間人的風險，大舊標已經擁有幸福家庭，還有一間餐館和水果店，生活應該不成問題，爲何他會願意承擔如此風險呢？他根本沒必要去爲這個駱達華而去冒險，中間只是賺取佣金。反正他入行才數年，不可能有甚麼大訂單。那佣金總多不了，根本不值得他去承擔。

「那爲甚麼呢？」鄭在心裏問自己。

不，突然鄭在腦內閃過了一個念頭。

也許大舊標就是不願承擔風險，因此才被殺呀。

「Gi Gi。」鄭從房間中跑出來。

「嗯哼。」

「你替我查一查，鰂魚涌地鐵站內的槍戰，第一個報警的電話，是從哪兒打出的？」

「啊，這個……有關係嗎？」Gi Gi感到莫名奇妙。

「當然，你快替我查。」

「這個，讓我看看……」Gi Gi一面翻弄著手頭的檔案和口供一面說。「是早上十時廿四分，打出的位置是英皇道和芬尼街交界的電話亭，電話亭編號是PP1596……」

「OK，你查看一下，站內的駱達華到達第一兇案現場，即殺鄭惠香的那自動電梯，是甚麼時間。」

「正確時間查不到，但疑兇到達電梯前，經過了轉角處，那兒的閉路電視的錄影時間顯示，他經過的時間爲十時十八分廿七秒。估計由轉角處步行大約要三十至四十五秒。所以行兇時間大約爲十九至二十分之間。」

「對了。」鄭叫起來。

「對……甚麼？」Gi Gi 有點莫名奇妙。

「你還不明白？」鄭有點手舞足蹈地解釋。「鰂魚涌那次，是他們集團設計來陷害駱的，他已經曝光了。而且那瘋狂性格會爲集團帶來額外危險，因此他們故意讓他在行事後遇上警員……」

「噢，我懂了。」鏘仔此時附和著。「難怪當時槍聲是在模範里出口那邊發生，可是報警的電話却是在糖廠街那邊打出的。如果電話眞的是現場目擊者打出的話，他不可能二十分在模範里隧道內目擊槍戰，然後馬上跑到糖廠街那邊的電話亭報警啊。」

「即使眞的跑，三、四分鐘內也未必跑到，而且根本那邊出口也有電話可用，不需花時間到對街的電話亭呀？」

「我想，有可能是集團早就找人跟蹤駱，然後在他下手擊斃鄭後，馬上用行動電話通知在芬尼街電話亭處的同黨，然後用公用電話亭報警，免得留下線索。」

「哦，我也明白了，他們是想在駱殺了死者後，碰上來圍捕他的警員，駱一定會反抗，他們是希望駱在與警方開火時被擊斃，這樣便可以一石二鳥，乾手淨脚。」

「對，不過他們低估了這傢伙。」鄭錦富補充著，「地鐵站是屬於站內警崗的管轄範圍，因此接獲應變中心的指示，最先抵達的只有駐守鰂魚涌站內的兩名軍裝員警。但這傢伙不但冷血瘋狂，而且是個他媽的奧運選手，兩個警員根本無法應付他。當大隊人馬趕到時，他早已溜之大吉了。」

「於是乎餐廳槍戰就是駱向集團作出報復。」

Gi Gi 一面點頭一面說：「但現在……也不可能找到他啊。」

「嗯？然後呢？」鄭神色凝重地回頭。

Gi Gi 未能肯定自己是否說錯了，於是只得硬著頭皮說下去：「……那，他現在殺了炳金盛，就算警方不捉，炳的兄弟和殺手集團的人也會四處找他，他在港不可能潛得很久，一定會被發現的。所以大概他在數小時前已經逃離本港，現在正身處公海某一處呢……不是嗎？」

「未必，」鄭告訴她：「你可不能用常理去推斷他的行爲。試想，駱達華在地鐵站內遇襲，他不難猜到是炳要殺他，他都居然能夠不走，還獨個兒跑來這裏大開殺戒，顯然這傢伙狂傲自大得根本不怕死，他大有可能不介意他人的追殺，繼續留在香港。」

「噢，」鏘仔對著顯得沒趣的 Gi Gi 怪叫了一聲，弄得她老羞成怒的一手抓起桌上的檔案擲過去。

鏘仔敏捷地閃過了，文件散落在地板上。鏘仔向她做了一個得意的表情。

「喂！」鄭喝止了他們。「還是小孩嗎？」

「那鄭 Sir 你認爲他會在哪兒呢？」阿琛問。

「不知道，」鄭沉思了一會。「但應該正緊貼著O，O在哪兒，駱就在那兒。」

鄭錦富留意到垂著頭的 Gi Gi 雙眼泛紅，他只好把視線轉向關帝像的那一邊，因爲他本身很怕去安慰那些哭著的女孩和哭著的下屬。

於是他只好再顧左右而言他，含糊地把話說完就回到自己的房間內。其間雖然他沒有回頭，但鄭却感到自己的背後那一雙帶刺的怨恨目光。

南光貨櫃碼頭，由於位處澳門內港，加上距離大陸只有極短的距離。過去曾是大陸非法入境者的熱門入境地點，因此以往也是警方和海關重點巡查的一區。

但隨著政府加強管制，一般僱主都不會聘用無工作證之人士，因此從南光碼頭上岸的偷渡潮已不復見。

在貨船與貨船之間，海水泛著油污的光澤。

但只要細心一看，就會發現當中的一道光並非油污，而是半露水面的潛水鏡，鏡內隱藏了一雙銳利的目光。

那是O。

O這次來澳門的行程極爲曲折，爲了掩人耳目，他先以個人貿易公司名義，訂了一張到委內瑞拉的機票，表面上是到當地一間與他素有生意往來的公司（即他自己在當地成立的匿名公司）洽談生意，然後逗留了三天後就飛到日本九州。表面上是在那兒渡假，實際是乘漁船到台東，再轉乘大陸漁船在廣東的陸豐登陸，跟著來到珠海，用七叔預先安排了的潛水裝備游過內港在澳門這邊上岸，完成任務後便乘小艇到擔杆列島，七叔在那兒安排了漁船讓他偷渡回九州。在那兒拍攝了的大量觀光照片，可以證明他這星期是在日本渡過的。

O趁著工人不察覺時於石躉間的梯階上了岸。隨即他把潛水裝束和氧氣筒卸下沉回水裏，跟著馬上穿上那裝載在防水膠袋內的衣服，混進了市區。

在防水膠袋內的一條鎖匙、屬於下環街的一間廉價賓館的，七叔預先在那裏訂了一個房間，房裏放置了O需要的衣服，僞造證件和槍械。

O肯定了房間安全後便馬上倒在床上。他的身體疲倦透了，對別人來說從香港到澳門只是四十五分鐘的船程，可是他卻轉了三班航機、兩艘船和貨車，還潛游了千多公尺的污水才到達。他的體力已經透支了，他必須養足精神，讓明天馬上恢復狀態。因此，O很快就睡著了。

晚上，O做了一個夢。

他夢到自己手握那無情的圓頭鎚，慢慢提起，準備向Maggie的顎骨敲下去，可是突然他感到木鎚像夾雜了金屬的疏離感，於是O抬頭一看，赫然發現手中所握的竟變成了一把鋸短了的獵槍，而當他回過頭來，躺著的已不是Maggie，而是血流滿面的黃明理。

在面前的鏡中，他可看到自己的混血兒面孔，和眉宇間那股揮之不去的邪氣。

他已化成了神人中的最強者——阿薩托爾。

不，不可能的。

O在喊，這個並不是自己。一切都是虛幻的，只是夢魘的幻覺而已，於是他決心打破困局，他提起獵槍向鏡子扣動扳機。

鏡子被近距離的散彈轟碎，托爾的影像就像嵌入了鏡子中，成爲一幅玻璃畫，給射成大小不一的碎塊，可是穿過了玻璃，擊中鏡後手持M66SP的馬志輝，他被轟得一翻倒地。

O被嚇得面無人色，那怎麼可能會是他哥哥的。O把手上的槍丟向牆角，可是跌在地面的，卻變成了一枝史密斯韋森牌點二二的手槍，槍嘴還裝上了一個O自製的滅聲器。

而O身邊躺著的屍體，已由黃明理變成了穿著酒店制服的白志堅。

胸口中了多槍的白仍不斷抽搐，口中喃喃地低吟著：

「噢，噢……我，我想起了……你是阿……阿，阿豪。那時我……我，噢，我……經常……借功，功課給你……給你抄……抄……」

O發出了極驚惶的哀鳴，自己到底是不是死了？如果世上眞的有地獄的話，他是否已身處其中？

他不知道這是否所謂的「永劫回歸」，O只想安靜地躺下，可是四肢卻不聽使喚，不由自主的爬到牆角，伸手去拾起那枝槍，O企圖控制那顫抖得很厲害的手，但似乎神經線給切斷了似的，手變得麻痺、僵硬，O甚至感到他已不屬於自己似的。

「我……我……經，常借……借功課……給……你，你。」

白繼續發出微弱的呻吟，而O再次重覆著當日的動作，在他的頭顱處補上一槍……

O從噩夢中掙扎醒時，已是早上十時，距離行動的時間還有差不多七個小時，在平常的日子，O習慣了一直待在房間之內。

可是大概由於噩夢的關係，O感到他背上的冷汗濕透了他的襯衣。這令他很不自在，他不想呆在這狹小房間內，於是他走進浴室中洗了個臉，他發現這兒連肥皂都沒有。O用毛巾擦乾了臉，然後戴上七叔爲他準備好的鴨舌帽和墨鏡，離開房間。

於是O把槍械留在房間，自個跑了出來。

到底要去哪裏呢?O問自己，可是他並不清楚，他只想出來吹吹風。他不想走得太遠，以免碰上甚麼不必要的麻煩。

天空出奇地蔚藍，這樣的天氣，大概是出海揚帆的好日子。要是在這種日子開槍殺人，似乎有點掃興。

O沒有再在這題目上糾纏下去，這兒四周都是破舊不堪，大都是戰前的舊式唐樓，四周充斥了污水、流浪狗和牛肉乾的混合味道。

每幢建築物都彷彿自身的電力供不應求,而需要彼此之間相濡以沫,互相拉上補下似的。大廈間伸出的電線在街道的上空交織出一片電力網，輕輕的覆蓋著上空，張羅著空氣粒子間漏網的電流。

O穿過了幽暗、洞窟似的街道。向海邊走，一直來到了臨海的媽閣廟，廟宇位於內港的入口處。建於六百多年前的明朝。O知道澳門之所以稱爲澳門，是因爲此廟爲葡萄牙人第一處到達澳門之地，因此他們就用了媽閣的譯音「MA——CAU」作爲澳門的名稱（MACAU）。

O穿過了牌坊進入廟宇。過去，O每次進廟內都並非爲了參拜，就像上次到飛來寺，也只不過是爲暗殺行動作現場視察。

那是因爲O根本不相信世上有神的說法，他很認同羅素①在《我爲甚麼不是基督徒》②中所說的話。

……宗教信仰主要是基於恐懼。一部分是由於對未知的恐懼，一部分如我方才所說，是渴望有位兄長之類的人物，在一切麻煩和爭執中支持自己。恐懼是宗教的基礎——對神秘的恐懼、對失敗的恐懼、對死亡的恐懼，恐懼是殘酷之母。

O一直沒有恐懼，他不需要神，因爲他可清晰感到自己能掌握到自己的命運和方向，O記得《英雄本色》中小馬哥的一句對白：「能夠掌握自己命運的就是神。」

他知道自己的手不單能掌握自己的命運，甚至可以掌握別人的生死，他並不需要一個牧羊人，因爲他本身就是一個牧羊人。O一直深信自己可憑才智去征服未來，而不需奴隸般懾服於恐懼。

可是到了今天，O從噩夢中驚醒，他在過去幹人命買賣的日子，從不曾因爲殺人而做噩夢。

那麼今天的事，是否意味著他已再沒有了過去的勇氣呢？沒有了埋沒感情的勇氣，沒有了喪盡天良的勇氣。這是一個刺客所必須具備的專業資格啊。

其實，在最近的一段日子，O老是在反思著一個問題，每當他在凝眸著阿雯時，他就會想如果紅毛仔今天再到了藍田寓所，而被捉著的是阿雯的話，他到底怎樣做呢？

他會不惜一切的救她？還是再一次旁觀別人流血？

O不知道，他眞的不知道。

他買了點香燭拜過媽祖像後，O突然心血來潮，於是決定跪下求一枝籤。

O跪在媽祖像的前面，手執籤筒用力地搖，心裏就默唸著自己的名字和年齡。今天，他並沒有用陳浩然這名字。反而唸了原來的名字——馬志豪。

一個出生時由父親替他改，從來未與任何罪行扯上關係的名字。

可是O一面搖，却搖出了一個疑問。

那就是到底應該向媽祖問些甚麼呢？

O一直感到內心似乎有些事情不肯定，但他却無法肯定自己所不肯定的是甚麼？他在思索著沒有問題的問題答案，當然那是徒勞的。

O問自己，到底憂心忡忡的是何事？是今天的行動嗎？不，他並沒有把它放在心上，那會是某人嗎？

是托爾？

還是 Maggie？

或是阿雯嗎？

突然間自己彷彿變得內荏不安，到底自己是擔心事業，還是魂牽於某人呢？如果是，那又會是誰？

即是媽祖眞的如信衆般說，能指點迷津的話。O最低限度也應開出一個題目呀。

到底是求事業還是求姻緣呢？

O並沒有想到。

可是當他還沒有拿定主意，一枝竹籤已從筒中一脫而出，跌落於O的膝前。本來他還想再搖一枝，但不知怎樣，到最後也沒有這樣做。

他拿出了那枝隨身攜帶，已打磨得光滑的木鉛筆。把籤上的號碼寫在紙上，然後找廟宇門外小攤子前的老伯解籤。

老伯看過數字後，從案頭中一大堆的紅封包中抽出一個，封包上面寫有籤的號碼。老伯從裏頭拿出一張籤紙，遞給O。嫣紅色的籤紙上寫著一首古詩。

鳴鳩爭奪鵲巢居
賓主參差意不舒
滿嶺喬松蘿蔦附
且猜詩語是如何

「先生……先生。」老伯叫著正在沉思的O。

「嗯？」

「你求的到底是自身、事業、姻緣還是甚麼？」

「這個……」O指著那籤文問道。「會是關於哪方面的呢？」

「不，」老伯笑說。「這沒有說是關於甚麼、那是視乎你向媽祖求的是甚麼。詩是死的。」

「但，這個我有點不清楚。」

「那你剛才在求籤時想祈求的是甚麼？」老伯問O。

「可是我並沒有拿得定主意。我一面搖時一面想，到底我想問些甚麼呢？本來我好像是想求事業的，但後來感到又好像不是，我似乎……是想問一下，別人，關於一個人的……」

「姻緣嗎？」

「不，也不怎麼算得上……我想，大概是吧。但我最終都還未決定到底求甚麼，這籤已跌了出來。大師……你不如當是事業解說吧。」O說。他總覺得把這老伯稱爲「大師」，似乎有點突兀，但又找不到別的更合適詞彙。於是O就將自己的出生年齡和姓名——他的原來姓名，告訴了老伯。

「那先生是做哪一行的呢？」老伯問。

「做生意。」

「嗯哼，」老伯瞥了O一眼後再問。「正財？還是偏財？」

「偏財。」他想了片刻回答。

「先生。要是求事業的話，這是枝下籤。」

「下籤？那下到甚麼程度？」

「下下。籤文的詩是講述一個關於春秋時代的故事。崔子是古時齊國的宰相。他家中有一嬌妻，有丰容盛鬋之貌。本來生活愉快。可是當時的齊國國君，却垂涎崔妻的美色，企圖來個雀巢鳩佔，將她據爲己有，那就是鳴鳩爭奪鵲巢居。」

「賓主參差意不舒。於是君臣二人就起了芥蒂，各懷鬼胎，互相猜疑。結果鬧出白刀子入，紅刀子出，血濺五步弑君收場。」

「如果求事業的話，那就是枝下籤。事業會有阻滯，你跟上司或同事會處不來，甚至別人想加害於你。給你帶來麻煩。告訴我，近來工作的情況怎樣，是否有了問題。」

「問題倒是有一點。」O苦澀地笑了一下。

「別小看這問題，你要認眞去處理。那是會嚴重影響你事業的。如果是自己生意的話，這問題很可能導致你整盤生意失敗。因爲崔子作爲人臣，事君就是他的事業。如果弄得要弒君，那就是完全失敗。你明白嗎？」

「嗯哼。」O點點頭。「那是不是一定非要流血不可？」

「那也不一定。正所謂滿嶺喬松蘿蔦附。你們之間的關係千絲萬縷，糾纏不清。斬不斷，理還亂，加上涉及這麼多人和事，令所有事變化萬千。且猜詩語是如何，其實別的事都不重要，重要的是在於你的內心。你內心的方向，這個是很重要的，別讓外在的事干擾你，你必須選定前面的路，那是最重要的。」

「嗯哼。」O點點頭。

他付了一張百元鈔票給給老伯，而當正想離開時，他突然又想到了一個問題。

「嗯，對不起。那如果這籤是求姻緣的話呢？那又會是甚麼樣的？」

「噢，這就不同啦，如果這籤是求姻緣的話，那就會是一枝上籤。對方會跟你很恩愛，而且如果今年是對方的本命年——你明白我的意思嗎？即是今年廿四或三十六歲之類。那她就可能跟你有點相沖，不過放心，會是好事啊。說不定你的命運會因此而改變呢！」

「嗯，是嗎？謝謝。」O笑著回應。

蝦餃榮可算是近年澳門黑道中的風雲人物，榮早年在港任職警界，更曾於當年是油麻地警署警長「曾咩喳」③之下屬。可是其後一九七四年廉政公署成立，港府銳意肅貪。加上當年的四大探長也相繼退休、潛逃外地。蝦餃榮就察覺到警界已非油水之所在。如「五億探長④」的神話已不復再。故此，在「警廉衝突」⑤後的那一年，蝦餃榮辭去了警界的工作。轉投往江湖處發展其「黑道事業」。

初期蝦餃榮活躍於官涌及廟街一帶，從事放高利貸及勒索等勾當。可是未如理想，約在八十年代初期轉往澳門發展。

他先投靠當時得令的四眼超旗下，在賭場幹上放高利貸及抽頭的工作。但由於蝦餃榮並非土生土長的澳門人，而且在幫會中得不到支持，因此一直只能活躍於金碧賭場，雖然他多番爭取進入較大規模的賭場撈錢。如回力場及葡京等，但總是不得要領，處處碰壁。

一九八四年，蝦餃榮與「鬼傑」一起混，透過「鬼傑」的關係和介紹下，認識了石強。二人一拍即合，於是蝦餃榮正式跟關係日漸惡劣四眼超拆伙。然後與石強攜手爭奪多個大賭場的控制權。

而在與四眼超及其他幫派的火拚中，蝦餃榮一黨以兇狠聞名於黑道。曾在一次衝突中親身帶領四名手下追斬仇家，對方逃入所屬控制的賭場以保性命，誰知蝦餃榮竟帶領手下衝入賭場，先斬傷兩個賭場守衛，然後在對方的手下面前把仇家斬死。

此事令蝦餃榮和石強一幫在梳打埠打響名號。多個賭場的貴賓廳亦歸其下控制。勢力日漸壯大。

可是蝦餃榮性格愎烈，而且嗜賭如命，曾因多次在賭場內鬧事而被禁足於賭場。加上爲人處事高調，又獨斷獨行，令他跟已發財立品、較爲內斂的的石強關係日益惡劣。而蝦餃榮更有併呑石強生意的意思。

一如平日，蝦餃榮會與他的手下在京都酒店的餐廳飲下午茶，跟著會乘車回位於荷蘭園二馬路的大本營，而偶爾也會到回力球場的賭場賭錢。車上除了他外，還有司機和兩個親信。

正如過往O所信奉的守則一樣，爲免被蝦餃榮一幫或教宗那邊追查到，他決定再一次給對方預設一個錯誤。

既然整個澳門無一大陸殺手敢接這宗買賣，O就決定要裝成一個騎輕型機車的大陸仔來行動，以誤導人們的視線。

而由於下午茶後，蝦餃榮在身邊的手下最少，因此O選擇這時候下手，加上車程慢，因此防範性也會較低。O事前研究過，由於京都酒店位於司法廳和政府合署的旁邊，較難下手。而回力球場和蝦餃榮的大本營處亦耳目衆多，因此對比之下，最佳下手的地點，就是當車輛由南灣街駛到水坑尾街時的路口，由於面對迴旋處，不管蝦餃榮駛向公司還是碼頭，他都不其然的需要減速。這造就了O下手的機會。

17:20。蝦餃榮和手下如常離開了京都酒店，一直駛進南灣街。這兒是個暗殺的熱門黑點，14K的文祥和手下就是命喪於此，而九六年十一月二十六日，澳門博彩監察司副司長布理路亦是於此街被殺手槍擊至重傷。

不過大概澳門近代的街道史都是由暗殺事件所組成的，差不多每條街都有自己獨立的暗殺故事，交織起來甚至可寫本關於這方面的熱門觀光點導遊書。

而當他們駛至街口準備轉入水坑尾街時，他們並不知道O的電單車正在從水坑尾街朝他們迎面駛去。

O決定當蝦餃榮的車停在路口時，自己就不停車的用 M10 機槍掃射他。

戴著頭盔，騎著電單車的O逐漸迫近蝦餃榮的車，他已經可從街角處看到他的車牌了，O調整了一下呼吸，伸手進他的內袋，準備掏出機槍。可是不知怎樣；O的耳朵突然出現了一陣耳鳴，他想，大概是不習慣戴這類較厚的頭盔吧。於是他開始加速駛向目標。但却不論怎樣加速，機車不但沒有加快，反而越來越慢。周遭的景物彷彿停頓下來。而耳鳴却漸漸形成了一道音障，阻礙O的前進。

O努力集中精神，他發現自己聽不到任何的聲音，那些街上的人聲、汽車的引擎聲等，全都聽不到；但却有一組模糊不清的聲調，逐漸在O體內形成。

對，是體內。O清晰感到聲音的來源並非來自外界，即不是外耳道進入，而是從體內發出，敲響了鼓膜，並逐漸清晰、擴大。單音組成調子，調子化作小節，小節變爲旋律。

O漸漸聽得清楚。

When I think of all my sorrows
When I had you there but then I let you go
And now it's only fair than I should let you know
When you should know.

O的理性和專業神經馬上把他扯回這如箭在弦的現實，他沒想到會在這樣的環境下聽到這首歌，一首刺入了O生命靈髓的歌曲，更沒想到歌曲竟來自蝦餃榮所坐的房車。車的窗門全都放下，而車裏的音響則以高音量播放著《Without You》一曲。大概蝦餃榮不會想到，這歌竟無意中，令這寶藍色的房車成爲O的流動告解室。

O赫然發現自己的機車駛得太近蝦餃榮的房車，於是一方面猛力的拉動刹車的手把，一方面拔出機槍。

可是這刹車的動作太顯眼了，驚動了蝦餃榮等人，令他們產生了警覺。可是前座的男人剛想伸手拔槍，O已掏出了M10機槍向他們猛然掃射。

一輪掃射，令街口佈滿了一地熱騰騰的金屬彈殼。四周的路人以熟練的技巧逃入店鋪和掩護物。這兒情況有點不同，現場並沒有在香港或甚至其他地區暗殺時所遇上的歇斯底里驚呼，大概正如人們所言，近年的澳門，就是世紀初時的上海、解放前的夏灣拿，不懂在街頭槍戰式暗殺事件中求生，根本不能成爲當地居民。

車廂靜寂了，擋風玻璃全都破了，司機和坐在前排的男人都被打得血肉模糊，奄奄一息。而另外二人亦伏屍於後座之內。

O正想上前查看，突然房車後面的車門彈開，車內一條身影順勢而出，原來後排的保鏢還沒有死，並向O還了數槍，O躍離了機車，子彈從身旁擦過，他馬上向著保鏢扣動扳機，數秒內子彈連番猝射，幾乎把保鏢的肩膊打斷。

可是，正當O忙於閃避保鏢的槍擊時，發現原來蝦餃榮還沒有死，只是伏在車廂後排處裝死，他趁著保鏢還火時便從另一邊車門處滾出，打了一個筋斗後便狼狽的發足狂奔。

O見狀，拋下這還沒斷氣的保鏢，馬上一個箭步的追上前。蝦餃榮發慌似的向時代中心的那邊跑，二人大概有十多步左右的距離，O於是不由分說的朝他的心臟位置開槍。

蝦餃榮突然停下了脚步，頭頂冒出了粉紅色的煙霧，連著毛髮的頭顱蓋骨迸碎成小塊，散落地上。一半的腦漿溢出，沖淡了鮮血的腥紅。

蝦餃榮雙手稍微一舉，不知道是有意識還是無意識的，跟著便緩緩地倒下。而他在梳打埠的輝煌年代，亦隨他那半個腦袋一起消失。

可是此際，O呆住了。不可能的，他想，明明是射向他的背的，爲何他的頭突然會爆掉在這種距離，應該不會有如此失誤啊。

SNIPER！

對，有狙擊手埋伏在這兒！O突然閃過了這概念。

可是，當O還沒有弄清楚，只是潛意識地向上抬頭一望時，兩顆子彈以音速穿過空氣，由南灣街自來水公司的天台劃出了兩道直線，落點正好是O的胸膛。

O剛想叫上一聲「Shit!」，可是聲音却被卡著於喉嚨之內……

只是隱約聽到的，仍然是那調子。

I can't live
if living is without you
I can't give
I can't give anymore

註解

①羅素：（Bertrand Russell）一八七二～一九七〇。英國科學哲學家，曾獲諾貝爾文學獎。著作有《數學原理》及《西洋哲學史》等。

②《我爲甚麼不是基督徒》：此爲羅素在一九二七年三月六日，應國際世俗協會南倫敦分會邀請，於巴特斯市鎮大廳發表的演說辭。

③曾咩喳：曾啓榮之綽號。曾爲七十年代初期油麻地警署警長。七二年被控貪污，其後於七五年潛逃台灣，居住至今。

④五億探長：爲六〇年代著名總華探長呂樂之綽號。呂四〇年代加入警界，其後事業一直如日中天。六七年暴動，呂樂出任九龍總華探長，期間呂不但接受巨額賄款，更促使香港四大販毒集團聯合經營，令呂收入大增。退休時財產估計達過億元。而其廿九年警隊工作之薪酬總數只爲十八萬元。呂樂六九年退休，其後被廉署通緝，現居台灣。

⑤警廉衝突：由於廉政公署（ICAC）於七四年成立後，全力打擊貪污警員，令廉署與警察關係日漸惡劣。七七年十一月，大批警員因不滿廉署的調查，集體衝上中環廉署總部大肆破壞搗亂，更毆傷多名廉署職員。

11 美麗街的約會

「幹——」托爾把音節拖得很長，緊緊的鎖著眉頭，並狠勁的拍打了一下步槍的槍機洩憤。

「哪有穿防彈衣的啊？」托爾忿忿不平地叫喊。

可是回應他的答案，是O手上機槍的一串子彈。

托爾躲在石牆後，待槍聲靜止後，他嘗試再舉槍，可是卻再次被子彈打得抬不起頭。O已經敏捷地找到了掩護物，並掌握了托爾的所在地。在這樣的情況下，加上這枝卡堪農步槍只是單發發射，因此托爾佔不到甚麼優勢。

雖然不能一併的了結O，但托爾也感到無比的滿足，因爲剛才還未有正式計算的時間，但他清楚知道自己能在五點六秒內用卡堪農步槍連開三槍，並三槍全命中兩個不同的目標。

唯一遺憾的，是其中一個目標並沒倒下而已。

但這也沒關係，因爲如此成績，已足以成爲傳奇，他傾動世人的技巧將成爲所有殺手在茶餘飯後的熱門話題。

因此托爾從容地把步槍丟在那兒，然後迅速逃離這座自來水公司，就像當年奧斯華逃離德克薩斯州教科書倉庫大樓一樣。

托爾從自來水公司向美麗街的後門逃出來，可是O已從街口那邊追至。他已脫下了頭盔，托爾清楚地看到O的臉，他不能想像行內盛傳那所謂「不死的絕頂刺客」，外表竟然是如此普通、平凡。

可是在托爾全神灌注地凝眸著O時，O却毫不客氣地向他掃射，托爾匆忙地撲向另一邊閃避，子彈一排排的在他身後掠過。

剛巧有三個廿來歲的少女從對面的天主堂走出來，托爾一撲上前，撞開了旁邊兩個女孩，一手執著當中一個少女的長髮，另一手便掏出腋下那裝有滅聲器史密斯韋森牌點二二手槍。然後躲在她背後用槍抵住了那女孩的脖子。

「我還以爲你會是較英俊的。」托爾一面扯著那少女的長髮一面大叫著。

「放開那女人！」O一面用槍指向托爾一面說，可是托爾却扯著那少女的頭，不斷作不規則的搖頭，令O無法準確地瞄準著他。

「別客氣呀！開槍嘛！」托爾因爲計謀得逞而興奮起來。「難道你忘記了自己是個殺手嗎？你可不是警察，不用怕甚麼人質呀！」

「跟這個女的無關，放開她。這是我們的事！」O大聲的告訴托爾。

「怎麼啦！爲甚麼他媽的說這麼多，射殺我吧！要射殺我就趁這千載難逢的好機會呀！否則我看你也許會後悔莫及呀！」托爾一面說，一面不停地搖那少女的頭，並除去了她頭上的頭飾，讓她的長髮散下來掩護自己，因爲他知道要是讓O能瞄準到他眉心或人中等位置，他便會馬上毫不猶疑的將自己幹掉。

「放了這女人，不關她的事！」

「你像個殺手行不行啊？」托爾回應。「何時變成了他媽的正義警察？」

女孩痛哭嚎叫，不停地掙扎，想擺脫托爾，手中的聖經和靈修用的小冊子都跌落地上。

但怎樣都不成功，托爾牢牢地扯著她不放。

「不要嘗試打我的手！你應知我殺她只需四分之一秒啊。」托爾因令O跌入這進退維谷的困局而感到得意，他留意到旁邊是一所天主教堂，少女剛才就是從那兒出來的。「怎麼啦？照我記憶，你倒是個他媽的無神論者呀。幹嗎不開槍？害怕下地獄嗎？」

「哼，不論我開不開槍，我跟你將來也必然在地獄相逢的。」O告訴他。

「哦哼，你的語氣挺像個神父呀？剛領過了聖體嗎？哈哈……」

O用食指運勁緊握著扳機，他知道，一日不解決了這像痲瘋病般可怕的雜種，他也休想得到安寧。要是再拖下去，警察就會趕到，到時連自己也會有麻煩。因此O明瞭如托爾所說，要是此刻不幹掉他，將來必會後悔莫及的。

O於是舉起了機槍，瞄準了那少女的頭部，在這樣的距離，子彈應足以貫穿身體的。

「求求你……不要……不，放過我吧……」少女已嚇得涕淚橫流地乞求著，並企圖蹲下，可是怎樣也擺脫不了以她作掩護的托爾。於是只得在畏怯間不斷用手劃十字。

「看呀，她在向你求饒！你是她的上帝啊！怎麼啦！開不開槍？」

O透過瞄準的照門，追踪著那少女。

正當他在猶疑不決之際，O看到在照門中的少女，不期然想起在望遠鏡內的Maggie，那一夜她在藍田的家中，企圖掙脫紅毛仔等人的情景，又再度浮現於O的腦海。

這令剛要扣扳機的O，再次變得優柔寡斷。

「不，」O向著托爾叫道。「難道你不記得，這是我們之間的約會啊！怎麼硬要把無關的女孩子扯下水？來吧，不要害羞。」

「哼，」托爾悶哼了一聲。跟著靠到已泣不成聲的少女的耳背，輕輕地低訴：「那就讓那傢伙的血來救你吧。」

托爾溫柔地將抵著少女頸部的手槍指向面前的O，槍前的滅聲器在散亂的黑髮中冒出，就像巨鯨衝出水面一樣。

O一見狀，馬上撲向右邊的垃圾桶，避過了托爾向他的狂射。而托爾見有機會逃走，於是一手推開少女，箭步向大堂前地方向奪路狂奔。

滾到垃圾桶後的O乘勢一個旋足轉身還擊，可是却打不中托爾，而且M10的子彈也打光了，托爾亦消失於大堂斜巷方向，於是棄掉了機槍，拔出了腰間那支同樣裝了滅聲器的史密斯韋森牌點二二手槍，跟著馬上追上前。

O沿著大堂前地一直跑過去，過了中華總商會，來到議事地前地的廣場，廣場的地面鋪了如波浪紋般的階磚，讓這兒看起來像一片汪洋。

沒有了托爾的踪影，O環目四望，廣場中盡是疏落的行人，似乎沒有聽到剛才南灣街那邊的槍聲。一些下了課的小朋友在廣場內追逐，兩邊都是並排著歐洲式的建築物、它們全都從二樓開始擴了出來，然後大約每兩、三米左右伸出一根柱子，形成地面的一條柱廊。

O穿梭於人群和柱廊之間，嘗試尋找托爾的身影。

突然間，他看到一道身影，快速閃現於兩道白柱之間，那是在廣場的另一端。

O看到，那是托爾。

他正沿噴水池的那邊走，O並沒有馬上跑上前，他不想讓廣場上的路人受傷，他只想靜靜地解決他。

於是O跟著托爾平行而上，他將槍挾於腋下，隨時準備給他那渴望已久的死亡。

可是托爾他暴露於柱子之間的時間太短，加上路人太多了，O並沒有把握，因此決定等他走出柱廊。

托爾一直向著噴水池那邊走，當他一走出了白色柱廊，來到仁慈堂的那巷口時，他不時回頭看看O有否追來，可是卻不察覺O已從對面粉橙色的柱廊中快步而出。

他找到一瞬的機會，於是馬上扣扳機，槍嘴只是發出了噗噗的聲音，一顆點二二彈頭馬上靜悄而出，穿越了在波浪廣場上逐流的路人，在狹縫間直竄向托爾。

托爾在喧鬧聲中，感到氣流中有異常的活動。「Shit。」他暗叫了一聲，是子彈穿越減聲器時所發出的聲音。可是還要回身一望，右手手臂就中彈了。

幸好，點二二的小口徑子彈並沒有穿過他的手臂，只是造成了如豆大般的傷口，於是他馬上一手按著傷口，打個踉蹌地奔進前面距離不遠的柱廊作掩護。

O本想還開多一槍，可是却被一個拿著飯菜的婦人擋住了視線。結果讓托爾跑進了柱廊。於是O加快了步伐，直趨上前，趁著托爾暴露於白柱之間，就馬上開槍，數顆子彈打落在白柱和牆壁之上，形成了幾個微微的彈坑，和一縷碎礫形成的白煙，可是除了O和托爾外，廣場上的人也沒留意到。

托爾留意到子彈是從廣場對面的柱廊處打過來的，可是却見不到O的踪影，那該死的彈頭折磨得他痛徹入骨，肱骨以下的部分變得完全痲木。

他跑到了接近水池的一邊。那兒圍著水池有三、四級低陷下去的梯階，設計的人簡直彷彿專爲電玩四驅車而設計似的，小孩不用跟著四驅車到處跑，車自會沿著下陷階級的豎邊，不斷的繞著水池轉。一群還穿著校服的小學生正在全神貫注的比賽著。彷彿在參加澳門東望洋的賽車初賽一樣。

托爾無法確定O的位置，加上右手的傷令他了解現在不是跟O火拚的最佳環境，他了解今天行動雖不算完美，但亦不是鎩羽而歸。現在他決定要離開這鬼地方。

托爾打算向殷皇子大馬路的方向逃走，可是當他一要踏出白柱廊末端的柱子時，數顆無聲無色的子彈就絕情地打過來，迫得托爾馬上瑟縮回柱子背後。

托爾想稍微伸頭出去窺探一下，子彈又再次掃射過來。

O已走到了托爾的前頭，他倚著牆柱的角落，將槍藏在黑色風衣之內，槍嘴對準了托爾所躲藏的白柱，他已鎖定了托爾在那兒，不管他從哪個方向出來，他都可以把他轟個稀巴爛。

從遠處傳來了警車的響號，大概警察已到了南灣街那邊。因此托爾也躲不了多久，O決定在此等待托爾出來，然後一槍了結他。

托爾鬆開按著傷口的手，血已染遍了外套的衣袖，幸好外套是深藍色的，因此血跡亦不易被發現。

「我才不會那麼容易就完蛋呢！」托爾喃喃自語。

他用右手手掌和小腹托著手槍，跟著將槍嘴部分的滅聲器拆下。

「來罷！你會喜歡這派對的。」托爾說著笑了一笑，然後連向天轟了五、六槍。

廣場上的路人被這突如其來的槍聲嚇慌了，女人抱起自己的小孩發足狂奔，有人跌倒，有人爭相躲入店舖內逃避。

廣場在一瞬間變得混亂一片，托爾於是乘亂從白柱後跑出來。路人遮掩了O的視線，托爾了解O是不會開槍的。

因爲剛才他沒有向那少女開槍，現在也不會開槍。

托爾知道，O的酷已大不如前了。

一想到這，托爾便抿著嘴笑了出來。

可是他想起，中了槍後就不應笑呀，這會令血流得更快。

於是他繼續發足狂奔，最後消失於驚悸不定的人群中。

12 曝光・忘記號碼・如心跳般地哭

早上，鄭錦富帶著如燒焦屍體般的面色，去叩高級警司周兆倫辦公室的門。

「Coming in。」

「Sir。」鄭錦富向周行了一個禮。

周沒有注視他，只是稍微抬頭看了看他的面色，其實他不看也能想像，鄭這傢伙如果在大清早找上來，都不會是甚麼好消息。不過他還是慣性地問他：「甚麼事？又在圖書館中找到些破案線索？」

「Sir。」鄭從口袋中拿出了一張傳眞，「這是今天新收到有關駱達華的通緝令。」

「那怎麼樣？」

「怎麼沒有提及他的身份的呢？」

「噢，這個，倒有點問題。」周神色有點爲難的說。

「甚麼？」

「那是上面的意思。」

「上面？」

「當然是在說大陸那邊啦。」周告訴鄭。「難道你不明白嗎？前國家奧運射擊代表，當上了職業殺手，涉及多宗嚴重謀殺，廿多條人命，還殺了六名警員。懷大量槍械，極度危險兇殘。你教我，該怎麼辦？這會令北京那邊成爲國際的笑話。還有半年就要回歸啦！高層倒不想令大陸爲難或跟他們有甚麼過不去。這點，你明白嗎？」

「那何不另外登一張無關痛癢傢伙的照片？好讓人一輩子也聯想不到？」鄭回應他。

「不是那意思，只是在還沒有眞憑實據之前……」

「那要甚麼眞憑實據？認罪書？還是現場留一個親筆簽名給你？天津那邊提供的指模樣本不就是最好的證據嗎？」

「是，這個我明白，但我們單靠殘缺模糊的現場指模，加上大陸沒有他的出境記錄，我們只能說可能，不是一定是他。你明白嗎？因爲此事非比尋常，所以在弄淸他眞正身份前，我們還是較低調一點處理好。」

「那何不當我們全不知情？乾脆放過他好了。」

「我可沒有叫你放過他呀。」周嚴厲地說。「你們要繼續加緊追捕，只是在還未弄淸狀況前，不要向外界公佈罷了。」

「嗯哼，」鄭錦富無奈的嘆了一口氣。「那麼我之前跟這個一併申請的通緝令，爲何還沒有批？」

「嗯？」

「你知道我說甚麼，就是O的那一份。」

「唉，」周兆倫嘆了一口氣。「大哥啊，你說我怎麼可以批？只憑圖書館的錄影和你的拼圖？他除了盜用圖書證之外，還觸犯了甚麼？你教我怎麼向上頭交代？」

「周Sir，我真的有理由相信他就是O，就是我們一直追查的殺手，大隻標的手下已供出他替殺手集團當經理人，駱達華就是他的手下。」

「可是跟這個O也沒甚麼關連呀。你去抓那個駱甚麼好了。」

「不，」鄭告訴周，「我們有理由相信，O跟駱是同屬一個集團的。而且二人正有著點關連，極有可能是內鬨。」

周面對著鄭錦富，說不上一句話，只是用拇指輕按自己的太陽穴。

「Sir，」鄭見周沒有說話，於是繼續說下去。「前天蝦餃榮被殺，有一消息是沒有向外發佈的，昨天澳門警局那邊已送了有關資料過來。」

「我還沒有看。」周告訴他。

「但根據資料，在警察還沒有到場時，就有兩名持槍的兇徒在現場對峙，其中一人還挾持了一名路人做人質。」

「嗯哼？」

「最奇怪的，就是另一兇徒竟因爲有人質而沒有開槍。」鄭說著拿出了一張拼圖放於周的桌上。「這是那人質做的拼圖。你看，這不就是O嗎？」

周看著從澳門傳眞來的拼圖。確實，那人質所描述的兇徒，跟鄭在圖書館碰上的男人，確是有點相似。

當鄭錦富回到大房後，衆人都上前。

「怎樣？鄭 Sir。」阿琛問。

「周 Sir 會發出有關O的通緝令。炳金盛手下那邊有甚麼消息？供出了集團的接頭人沒有？」

「沒有，」Gi Gi 告訴鄭。「我看除了炳一人知道接頭人是誰外，其他手下也一概不知，因此再盤問下去也不會有甚麼料。」

「那就繼續監視跟炳金盛有關的混混，我要知道他們屬於哪個幫派、哪個集團。」

「Yes Sir。」

「鄭 Sir。」鏘仔叫住了他。

「嗯？」

「我有點不明白。雖然你說那少女在澳門所遇到的就是O，我們也假定那是，但爲何你一口咬定挾持少女的就是駱達華呢？她的口供都說認不清背後那人的面貌呀！」

「報告內不是已經說了嗎？」

「嗯哼？在哪兒？」

鄭打開桌上的檔案，向衆人解釋。「根據報告所說，其中一兇徒是從自來水公司的後門逃出來的，他一出到美麗街，就碰上由南灣街口追過來的另一疑兇，於是便挾持了從天主教堂出來的少女，而追過來的，就是O。」

「留心一點，挾持人質的兇徒，是從自來水公司出來的。而警察就在自來水公司天台撿獲一枝步槍和三顆彈殼。」

「你們知道步槍是甚麼型號嗎？」

「這裏有寫嘛……」阿琛嘗試在檔案中翻尋著答案。「那就是……根據軍火專家檢定，那步槍……就是曼寧契——卡堪農……31／98型……六點五毫米步槍①。這裏附有照片……哎呀！」

「怎麼啦？」Gi Gi對阿琛的怪叫感到莫名其妙。

「這是奧斯華所用的步槍呀。」阿琛回答。「果眞是那傢伙啊。」

「嗯哼。」鄭錦富點點頭。

「對不起，但請問……到底誰是奧斯華啊？」鏘仔似乎有點摸不著頭腦。

「那就是刺殺約翰・甘迺迪的李・哈維・奧斯華②啊！難道你沒有聽過？」阿琛反問。

「聽過也不可能記得吧。」

「我倒有點印象，」Gi Gi抬頭說，「但我却不知道這就是他所用的槍呀！」

「這把步槍呢，」鄭解釋著。「是他媽的古董，要買也不是容易找到。我一看到這就有點懷疑，於是馬上打電話到澳門那邊，問淸楚發現那槍時它的高度和位置，結果果眞如此。」

「你們記得駱達華這傢伙的手法吧？他很喜歡模仿一些電影和歷史中的殺手。因此一看到是這步槍，我就知道他是在模仿奧斯華，連現場射擊的高度和角度都極爲相似。」

「試想想，除了他之外，還有誰會千辛萬苦地找來一把笨重昂貴的古董單發式步槍去殺人？現在珠海買一支全自動的AK-47只不過是四千元罷了。」

「哦，那我全明白了，」Gi Gi附和著。「怪不得他還要把那步槍丟在天台，那就是要留下記號，讓人知道那個是他，和他這次所模仿的對象。」

「沒錯。」鄭點點頭附和。

「可是駱跟O有甚麼仇呢？爲何纏上他？」

「這個眞的不得而知。但可以肯定的，是駱達華似乎比我們更有辦法找到O。我們追查多年也毫無頭緒，但他竟能找到O的暗殺現場。明顯是預計到他的下手地點。因此我們捉到駱，O就不難抓了。」

「但現在根本毫無頭緒，所有的線索都斷了。那怎樣抓他們？」Gi Gi問。

鄭錦富從口袋中掏出了一根香煙，點了火之後說：「頭緒都是找尋回來的，線索沒有了，就自己製造一些。現在發出了O的通緝令。那O就曝光了，集團對於下面殺手的身份曝光都會很敏感，特別在這類非常時期。我們只要捉住了他們其中的一條線，整個集團也可能被拖垮的。」

「你看上次駱的不就是個例子嗎？他的照片才曝光，大舊標便決定佈局除掉。」

「因此不論是集團本身或是O的拍檔也會有所動作，不論是安排他跑路還是替他收屍。只要有動作，我們就有機會。」

「所以，阿琛和鏘仔去找全港的走私船家聊聊，看看有甚麼人在找門路想跑路。」

「Yes, Sir。」二人同聲的回應。

「Gi Gi，」鄭轉向 Gi Gi 說，「你繼續盤問一下大舊標的手下，看看有甚麼料。」

「Yes Sir。」Gi Gi 向他敬了一個禮。

鄭錦富可以感受到，自己已找到了一個突破點，逐漸向O推進。

在幽暗的電玩中心內，七叔肯定了外面沒有其他可疑人物後，關上了小房間的門。

「……沿途可沒有甚麼問題吧？」七叔轉向問O。

「那個叫托爾的傢伙又出現了。」O喃喃地道。「這次我差點就沒命了，幸好有防彈衣救了我。你知道爲何那傢伙總是對我一舉一動都瞭如指掌似的？」

「嗯，這個，」七叔沉吟了一會。「理論上是沒可能的，你的出手地點，除了我和你之外，就不可能有別的人知道。」

「會是教宗那邊透露給他的嗎？」

「不，教宗那兒根本不知我們接了這買賣。而且聽說教宗那兒已出了高價，給幹掉托爾的人。」

「眞可惜，當天差點就可賺到這一票。」O嘆著氣說。

「現在最重要的，是你不能再跟這傢伙糾纏下去！」

「可不是我跟他糾纏，而是他老是來找我麻煩！」

「但那天在澳門，你應該不理他，馬上逃走才對啊。」七叔告訴O。

「他一再的纏著我，我要不趁那機會幹掉他，日後的麻煩可夠我受的呢！」O說。

「但你現在也讓他走了，你的麻煩也不少呢！其實以你的身手，幹掉他大概不是一件難事。爲何會如此失策？」

「對不起，我不想在此作事後檢討，研究失手原因。」O說著停了一會。「大概，我已經Out，應該收手啦！嗯，那些錢收到了沒有？」

「現在風聲太緊啦！」七叔告訴他。「待再過幾天就跟那邊聯絡收錢。對啊，這幾天你不要露面啦，多留在家裏。」

「嗯哼，爲甚麼？你怕托爾會再來？」

「一半吧。我反而擔心的，是教宗那邊。」

「教宗？」

「對，你知道教宗那邊做事很保守，作風十分穩健。他之所以要幹掉托爾，就是因爲他曝了光，而且不受控制，萬一落在警方手裏，麻煩就多了。爲了乾手淨脚，教宗會毫不猶疑地把他幹掉，免得拖累自己。」

「因此要是你再老是和這傢伙纏在一起，教宗也可能會爲了免去麻煩而把你一併除去，因此這段日子，你最好還是暫避一、兩個星期。托爾就讓教宗那邊解決吧，現在黑、白兩道都找他。他只有跑路一途，否則是死路一條。」

「我看他不會走的。」O說。

「嗯哼？」

「因爲他的目標是我，不殺我是不會走的。」

「不管怎樣，暫避幾天再說吧。」七叔告訴他。

O於是回到那工廠大廈中的巢穴，這裏教他感到安全，因爲絕對沒有人知道這兒的存在，即使親如七叔也不知，他本想告訴他，可是後來又打消了此念頭。

O知道，他必須擁有完全屬於自己的東西。

那就是這個巢穴和冰箱中冷藏著的日記。

於是O從冰箱中拿出了一瓶檸檬味的 Perriei 礦泉水、兩個冰梨和日記簿。坐下來好好的記下這幾天的事。

爲甚麼？

爲何當天我沒有一槍幹掉托爾和那少女的勇氣？要是換了是以前的話，我是絕不猶疑的。

在舉槍瞄準的那一刻，我想起了她。

她如何在血泊中掙扎，她的身體，就像一礦石的結晶體、是何等晶瑩但脆弱。

其實，大概那時的我就應退出，一個刺客如果在扣扳機時都猶疑的話，那他的能力就連一個銀行護衛都不如。

因爲，那就是他的全部。

要是沒有了，那就一無所有，意味了他該退休或被射殺。

他合上了日記，不想再寫下去。O走到望遠鏡前，透過望遠鏡可以看到，阿雯正在客廳中跳舞，她不知不覺也來替他打掃半年了，她跟 Maggie 很不同。她是那種十三點型的人，不像 Maggie 那般樸實嫻雅，沒有散發著醫院的氣味，倒像一套會吃會喝的音響器材，走到哪裏都可產生一個即興的嘉年華會。

她不會燙衣服，也懶得去打蠟，但却可以獨自在O麗港城的家裏，一人分飾兩角地玩警匪槍戰，也可含一口水在口中，扮潛水尋寶。隨時隨地玩上幾個小時。

不，O突然想。爲何自己總是拿阿雯來跟 Maggie 比較。爲甚麼？不論外表、髮型、性格都全不相同，簡直是南轅北轍。

O在記憶中，好像沒有見過阿雯穿裙子呢？

但爲何，自己老是感到她們二人總是有點相似。難道只不過是因爲二人都同是置身於O的監視下？

在過去半年觀察阿雯的夜裏，O偶爾會萌起一個念頭，那就是想知道看著阿雯自慰的感覺會是怎樣的。

會跟 Maggie 的感覺不同嗎？O這樣想。

只是，結果還是沒有幹過。

確實，O希望繼續待在這裏生活，可是現在環境似乎不許可。剛才在回來前，他已到了地產公司代理出售他麗港城的單位。待他安排了一切後，他就會離開這兒。

也許離開數個月，也許是數年，甚至永遠。天曉得。

O嘆了一口氣，他已感到疲倦，他甚至不想去猜，到底自己一直滿以爲完美的刺客生活哲學，是因爲哪兒出錯，讓托爾這瘋子找到缺口乘虛而入。

他不想去猜。

突然間，阿雯隨節奏而擺動的身軀停了下來，抬頭望向大門那邊，跟著便走向那兒。

糟糕！O心頭想。

不可能有人找上來的。難道是托爾那兎崽子嗎？

O一聯想起一年前發生的事，神經就馬上收縮起來，難道往事又要在他的眼前再一次重複嗎？

O撲向桌上，拿起手提電話，正要打電話到麗港城那邊，叫阿雯不要開門。可是O拿著電話空焦急。

2709

09甚麼？

O強迫自己去想，可是刹那間總是無法想起後面的四個號碼。大概是因爲自己從沒有想過要打回去的關係。愧疚和痲木感教他想不起殺人以外的事情。

2709後的到底是甚麼？

終於O想起自己的號碼。電話接通了，可是阿雯並沒有拿起話筒。

O緊張的過去看看望遠鏡。阿雯只是望了望，但沒有去接聽電話，而是開啓了木門，但却沒有開啓鐵閘，門外正站著一個大約四、五十歲左右的胖子。O看得到，他正隔著鐵閘和阿雯在說話。

O無法得知他在說甚麼，可是談不了數句後，阿雯就作了個歉意的彎腰，跟著關上了門。

O如釋重負，正打算將手提電話關上，誰知那邊阿雯已提起了聽筒，傳來了她的聲音。走到音響前將開關關掉。

「喂喂……喂？Mo Shi Mo Shi？」

「喂。」

「你找誰呀?」

「嗯……」O猶疑了一會,最後終於決定開口說話:「我不是說過你不用聽我家的電話嗎?」

「嗯,陳先生。是你嗎?很久不見,你打回來就是想說這點嗎?」阿雯反問,從她的語調,聽得出正吃著口香糖。

「嗯,不是的。怎麼啦?你沒空嘛?」

「當然嘛!你請我回來倒不是叫我呆坐的嘛。」阿雯一面說一面提高了聲調。「我又要擦窗又要收拾,連你打翻了杯可樂也要我收拾,我怎麼可以閒下來呀?經常要超時工作呢!」

O盡了很大的耐力,才沒有笑出來。

「怎麼啦?有甚麼事?」她問。

「哦,其實是有件事想跟你談談的……」

「你現在在哪兒?」

「嗯,甚麼?」O有點愕然。

「我問你在哪兒?要不要我等你回來再談。」

「不,」O停了一會跟著說。「其實電話談也可以吧,就是……」

「那是重要的事嗎?」

「這個，也算吧。」O回答。

「那就不要在電話中談嘛！」阿雯說，語氣顯得好認真。「我不大喜歡在電話中談些重要話的，你會甚麼時候回來？我就在這裏等你吧。」

「但……我想可能會很晚。」

「沒關係呀，我可以等。」

「嗯，這個。」O顯得有點猶疑。他沉思了一會之後說，「那不如這樣吧，我現在還有點事情要辦，還未回家，不如等一下我約你到觀塘見面吧！好不好？」

「沒問題啊！那就在觀塘的麥當勞見面吧。」她說。

O放下了電話之後，思考了許久，他感到自己跟阿雯說話時，老是搭不上口，她那突如其來的說話和問題，就比屋頂放的冷槍更教O感到難於應付。

O一直在觀察她，阿雯並沒有準時出發。她在跟O收線後，仍繼續慢條斯理的攤在沙發上發呆。

差不多過了約會時間的二十分鐘，O決定致電給她。當電話響起來時，阿雯看看手錶，她知道自己要遲到了，電話大概是陳先生打來催促她的，因此她只是猶疑了片刻，便決定不接聽電話，然後匆匆穿鞋出門。

O比雯早到，他走樓梯上了麥當勞，然後找了一個位置隱密角落處的廂座坐下。眼睛就一直盯著每個從門口進來的客人。

等了大約十分鐘，阿雯出現，於是O招手示意她過來。

「嗯。」阿雯隨便地點頭打了個招呼。

「嗯。」O回應。

「來了很久嗎？」

「一會吧。」

「對不起，」阿雯一面坐下一面說。「因爲剛才離開時，要到大廈的管理處投訴你的鄰居。那討厭的死肥仔。」

「嗯哼？」

「他常把音響聲浪調大至叫人震耳欲聾，無法忍受。其實我倒無所謂呀，反正我只是當兼職打工，可是那滋擾了其他的住客嘛。噢，是呀，你有留意到嗎？」

「嗯，這個也沒有怎樣留意到。」O含笑地回答。

「大概你每晚太晚回來，所以才沒留意到吧。」阿雯自顧自的繼續解釋著。「我想，其他住客都因爲彼此經常老是碰面，因此對於投訴感到尷尬，但我可不同呀，我不是在這兒住呀，所以不用擔心這個問題呀！因此就讓我來當個惡人呀！」

「嗯哼，是嗎？」O點點頭。

「噢，你找我到底甚麼事啊？」

「對，我是想告訴你。我那單位將要賣了，下個月你也許不用再來了。」

「嗯，是嗎？那這個月怎辦？」

「這個，你就工作至月底吧。」O想了一會。「薪金我會照過往一樣存款到你的戶頭。我另多補兩個月的薪水給你。」

「謝謝。」

O與阿雯二人於是在這喧鬧的麥當勞中對坐，相對無言。雖然已接近午夜，但店內仍坐滿了不少客人，有一群穿西裝，跟這裏有點格格不入的傳銷經紀，圍坐在O和雯他們的不遠處，彼此相濡以沫，重談著那賺輛保時捷車的古老傳說。在他們旁邊則有一群將滑板擱在桌上的少年，互相用和性有關的笑話在揶揄對方。

阿雯一直望著窗外，對面的工廠大廈已經關了燈，地鐵每隔三、兩分鐘，就穿過架空路軌。令玻璃顯得輕微的震動。

良久，阿雯再次開口說話。「有件事我是一直想問你的。」

「甚麼？」

「那就是，在超級市場的顧客廣告版上有那麼多的告示，你怎麼會選上我呢？我又沒有甚麼特殊才能。」

O被她這樣一問，就有點不知所措。

確實，在顧客告示牌上有數十個這樣的兼職告示，自己是爲何會選上她的呢？還有 Maggie，到底又是怎樣選上的？

O依稀記得，他隨便地走到告示牌的前面，其實並沒有看清別的告示，一手就扯下了告示上的電話，跟著便聯絡她，即使 Maggie 也是一樣。

「對了。」

「嗯？」阿雯有點愕然。「對甚麼？」

「因爲你的告示在底部附有電話便條，所以我才找上你啊。」

「甚麼便條？」阿雯感到莫名其妙的問。

「那就是你在你應徵廣告下面，用剪刀剪成一條條，寫有電話的小便條。」

「嗯，我知道那便條，但你就是因爲那便條而聘請我？」

「對。」O點點頭。

「那，爲何？」

「那兒有許多告示，每個人都有留下自己的聯絡方法。」O告訴她：「可是每個人都沒有爲對方想想，只是希望別人抄下他的電話，打給他。然後給他不大辛苦的工作，再每月送錢給他用。我不是說我沒有筆在身，只是這些人根本沒有人會站在你的立場去想。哪有人會帶筆上超級市場的呢？」

「這只需稍微站在你的立場著想，就能清楚了解。可是沒有人這樣做，你是那兒唯一的一個。把告示紙下面剪成條狀，寫上電話。於是我撕了下來。」

「就這樣，我聘用了你。」

「就這樣？我的意思是你就因為我在告示下剪了些便條，所以你就決定聘用我？你沒有打算跟我見面後才再考慮嗎？」

「沒有。」O歪著頭笑了一笑。「我打從那刻開始就決定聘用你，只是循例也要見見面，所以就見見面吧。反正見過你是怎樣也沒關係，肥的、瘦的、美的、醜的都無相干，在見面前已定了。」

「嗯，就是這樣？就因為這原因而聘用我？我真的無法想像會是如此簡單的。噢，說起來簡單得有點嚇人呢！」

O只是笑而不語，他知道其實世上許多看似極其複雜的事，揭穿了其實都是非常簡單，只是眾人老是七轉八繞，作繭自縛，因此才無法看出箇中真相而已。

O曾讀過許多有關美國「吸血鬼殺手」理查・崔頓・喬斯的論文。他記得當中有一段是講述他每當聽到納粹分子和外星人透過心電感應來給他殺人「指令」時，他是如何去尋覓目標。

他不是根據甚麼受害人的長相或服飾之類，他甚至事前連受害人的樣子也未見過。他只是不斷在街上閒逛，如果對方大門深鎖，他就離開。而門戶大開的他就進屋殺人。他是從不會破門而入的，因爲「如果大門深鎖的話，就表示你不受歡迎」。喬斯是這樣的回應。

這事令O了解到原來生和死之間的差別，可以是相隔這般簡單的一線。

當然，他並沒有把此事告訴阿雯。

「那是阿田替我剪的。」過了一會之後阿雯說。「那些電話便條。他還用美工刀割下一條虛痕，方便人撕下來。你還記得嗎？」

「已經不大記得。」

「阿田那時是我的男朋友。」她告訴O。

「那時？」

「對，那時。」她說著把視線轉向窗外經過的地下鐵列車。「他已經死了。」

阿雯告訴O，阿田是她兩年前在時裝店中當售貨員時認識的男孩子，他是阿雯工作的時裝店對面裝修店的裝修學徒，樣子有點像《美國舞男》那年代的李察吉爾。那時阿雯工作的時裝店只有她一個售貨員，因此即使午飯時間也不能離開，只得打電話到附近的茶餐廳叫外賣，但外賣的客人太多，因此電話老是打不通。

於是在阿田裝修店面時，他經常主動提出幫她買飯盒。二人就是這樣結識的。

阿田比阿雯大兩歲，那時廿五歲，過去家人在尖沙咀街市開設了一個菜攤，主要供應蔬菜給附近的酒家和餐廳的廚房，阿田在中五畢業後就一直在家人的菜攤中幫忙，負責看看攤，或騎腳踏車到附近送送貨之類。

「本來他是想讀美術設計的。」阿雯說著點上了一根香煙。「你要嗎？」

「我戒了煙。」O搖搖頭，於是阿雯又繼續說下去。

其後，菜攤的生意由於飲食業不振的關係，收入漸少，加上阿田和他的兄妹都不大願意幹下去，於是家人決定結束了那菜攤。

其後阿田便透過朋友的介紹，當上了裝修學徒。

阿田和阿雯於是就開始約會。那時阿田的家人有一部馬自達121房車。是阿田幾兄妹共用的，阿田經常在不用開工的日子，駕車到時裝店等她下班，然後一起去遊車河。

那段日子，二人好不開心。可是那房車是阿田一家共用的，因此有時週末經常出現兄妹們爭車用的情況。而阿田本身，亦希望擁有一輛完全是自己的車子。一來不用跟家人爭用，而且也可隨時跟阿雯四處去。

因此阿田就將自己正在存錢買車的計劃告訴了阿雯，那時阿雯心想，也許我也可幫得上忙呀！但自己的收入又不多，於是她決定找些晚上的兼職。

她並沒有告訴阿田，自己找兼職是想幫他買車，因為他怕阿田會拒絕她的幫忙，她只是騙他說自己想存錢去日本旅行。

於是，阿田就替阿雯寫了告示，並代她拿去影印，把告示底部的電話切成條狀，和將它貼到各個超級市場的顧客告示牌。

而二人一起的日子，阿雯經常拉阿田到歡樂天地等地方玩那些攤位遊戲。阿田套環的技術不錯，因此不時會贏到獎品。

那些多是絨毛玩具之類。通常如果是大的絨毛玩具，阿雯都會放在睡房，而細小的她就放在阿田的那輛馬自達之內。

「有些絨毛玩具附有吸盤，我會把它貼在後排座位的車窗內，另外，我也會買些加菲貓和米老鼠的紙巾盒放在它的車廂。」

「那感覺就像擁有了他似的。因爲透過那些放於車內的絨毛玩具，我可以告訴別人，他是我的男人呀！有女人駕車經過時，就會知道這傢伙已有女友了嘛！」阿雯說著笑了一笑。

「那情況就像狗割據地盤一樣。」O搭上了一句。

「嗯，甚麼？」

「如果一隻狗要佔著牠認爲是屬於自己的地盤，牠就會在那兒的四周撒尿，好讓別的狗來到時會嗅到，知道這兒是牠的地盤。」

「哼，眞的有點相似。」雯笑著說。

但她告訴O，由於馬自達121的車身細小，後窗板處很快的擺滿了絨毛玩具，因此只得把新贏回來的和阿雯買的絨毛玩具吊於倒後鏡和放在儀錶板上。

阿田對此從沒有過半點埋怨，還似乎顯得樂在其中。

「他還特地去買了一套Q版的吉田超人手版模型放在擋風玻璃前的錶板上，說是用來陪我的史奴比的呢！」阿雯說。

這樣的日子，直到有一天，大約是阿雯應徵了O這兼職後一個月。天文台掛起了黑色暴雨訊號，阿田駕車載了阿雯回家，跟著便自己駕車回家。

可是，當他駛到青山公路時，他被後面的車撞倒了，整輛車失控，猛力撞向路邊的石礅，阿田雖然有扣上安全帶，但猛烈的衝擊也使他的胸骨爆裂，斷骨刺穿了他的左肺和內臟，造成大量出血。被送往醫院時，已經因爲內出血過多而昏迷，加上肋骨盡碎，根本無法開刀。

結果在黎明時，即阿雯趕到醫院前的三十分鐘就斷氣了。

死因裁判署的報告把此事判定爲意外傷亡。認爲因當時暴雨影響了死者的視線，令他錯誤地轉線，結果令尾隨的客貨車刹車不及，結果釀成了慘劇。

但阿雯却傷心欲絕，她知道死因裁判署把意外歸咎於暴雨，但在她的內心，她清楚了解是自己放滿車廂的絨毛玩具，才是肇事的主因，絨毛玩具擋住了阿田的視線，讓他看不到後面尾隨的車。

阿雯清楚了解，阿田是自己害死的，自己的佔有慾令他看不見路面，愛他却傷害了他。

「有一段日子，我不敢告訴別人，人家因爲怕我傷心，不時來慰問、安撫我。我不想再令人擔心，因此每次總表現十三點兮兮的樣子，好像忘却了傷心事似的。甚至有朋友在背後說我，指我竟如此無情，馬上把去世的男友忘了。」

「可是，誰也不留意我架上了一副眼鏡，沒有人記得我過去是不戴眼鏡的。」

「其實過去我一直有近視，只是都習慣配戴隱形眼鏡。」

可是這段日子，爲了在人們面前裝強，阿雯強忍著悲傷。即使獨個兒時也不流一滴眼淚。可是每到晚上睡覺時，阿雯不管有沒有做夢，眼睛總是不由自主的流起淚來，淚水簌簌無聲的流滿面，阿雯根本無法自控，眼睛在阿雯一進入睡眠狀態時就馬上自動的流起淚來，就像睡著了仍會呼吸心跳般一樣自然。

這樣的晚上，無休無止，眼淚由深夜流至天亮。

阿雯每天醒來，枕頭總是潤濕地沾滿了她眼淚的氣味。

而她漸漸發覺，每次早上配戴了隱形眼鏡時，雙眼總是刺痛得要死，完全無法把眼鏡戴上。

眼鏡店的驗光師說，她的眼哭得太厲害了，因此腫得很嚴重，加上有些微血管爆裂了，所以無法配戴隱形眼鏡，只得戴一般的普通眼鏡。

「也許眞的像隻狗啊。」阿雯說著做了個苦澀的鬼臉。「只是撒尿太多啦，多得溺死了那兒的花草。」

說著，阿雯再望向窗外，久久不發一言。直到經理走過來告訴她。

「小姐，對不起，這兒是不准吸煙的。」

「嗯，對不起。」說著阿雯揉熄了手上的煙。

註解

①曼寧契——卡堪農31／98型六點五毫米步槍：此爲第二次世界大戰期間，義大利一種生產過剩的步槍型號、槍機設計笨重遲鈍，以使用不方便馳名。

②李．哈維．奥斯華：（1939-1963）一九六三年十一月二十一日於美國德克薩斯州達拉市刺殺總統約翰．甘迺迪之殺手。在當日下午被捕。但二十四日由拘留所押往監獄時被一兇手所殺。

13 思念與沒打中・Fall in Love・To Die For

晚上。當O開啓手提電腦，正想跟七叔聯絡，誰知螢幕響起了有來電的顯示。

I miss you! Do you miss me?

O馬上知道那是托爾，於是一邊冷笑一邊輸入：Sure! I miss you in Macau.

片刻托爾馬上知道O所指的Miss是「沒打中」而不是「思念」。於是他輸入：別劈頭就說這些好不好，你父母沒有教你要有禮貌的嗎？

O：我父母教我只需跟朋友才用談禮貌。

托爾：那多叫人失望，我一直都當你是我的好朋友呀！

O：好朋友？我的好朋友倒不會對我放冷槍。

托爾：是嗎？但我倒懷疑你會有多少好朋友。

O：這個與你無關，你還是關心一下你自己吧！現在黑白兩道都在找你呢。

托爾：怎麼啦？你緊張我，擔心我嗎？

O看到不禁苦笑起來，跟著輸入：你這個人最可怕的不是你的冷槍，倒是你那不要臉的無賴性格。到底是先天遺傳還是後天培養的？

托爾：這點我不清楚。但我却肯定你的怕死是先天的。沒有殺手會穿防彈衣的，這令你扮起來欠缺了點神髓。你在扮演大陸仔時也如此的像隻縮頭烏龜的嗎？

O：我不是那些具強烈表演慾的街頭流氓！你既然如此具表演慾，何不去投考演員訓練班？爲何作這般的街頭表演？你是個病人，你知道嗎？

托爾：但凡超越當代所能理解的不朽智者，都會被世人誤解爲瘋子、病人。伽利略、Nostradamus①如此，即是李・哈維・奥斯華亦落得如此下場。

O：別跟我來這一套，奥斯華只不過是個雜碎，根本沒有幹上甚麼不朽的事。

托爾：噢！這是對先烈的一種侮辱，即使政治成就不談，單從他能於五點六秒內使用卡堪農連發三槍②，而且中二發，就已經是三不朽中的立功。

當然，我超越了他，開三發只用了五點三秒。我用錄音帶計了時的。

「你眞的有病！」O一面輸入一面喃喃自語：比唐那休③的慢。

托爾：打在紙靶上的子彈，怎能混爲一談，你應該清楚向眞人開槍的分別吧！那是眞正的血肉之軀。還有，我是用三發子彈，分別擊中了兩個目標：一個頭顱和一個膽小的殺手。

「哼，隨便你怎樣說。」O說，跟著鍵入了一段文字：

聽說敎宗因爲你的身份暴露，還殺了集團二拆。因此已出了賞金。給能幹掉你的人。

托爾：那你失掉了一個機會了！如果當天你開了槍，不就是一舉兩得嗎？除非你不想給敎宗知道你有接他以外的工作吧。

O：當是幫幫忙，請你在被警察或敎宗轟斃之前，告訴我你怎樣得到我的資料。

我會感激你的。

托爾：我連死也不怕，那會怕他媽的教宗？讓我幹掉你後，便會再把他揪出來，割掉他那老朽得快折斷的子孫根，塞在他那出賞金的狗嘴裡。

「我倒想看看。」O笑著說。

托爾繼續鍵入：**我知道有關你的事，我打聽過不少的。有時我想，大概我們不要如此針鋒相對，沒必要每次都刀刃相見、血流五步。**

大概我們可找一家看到海景的咖啡店坐下來，然後聊聊天，談一些工作上的趣聞軼事，然後談上大半天後，再考慮是否需要幹掉對方也不遲呀！

O：想找人傾訴心事嗎？你致電寂寞的心熱線，相信會比這個便宜。

托爾：告訴我，你有否在當上殺手的日子，愛上過一個人？他總是會令你魂牽夢繫，理智盡失的呢？因爲他而流血、受傷呢？

被托爾這樣一問，O想起了被殺的Maggie。

確實，他記得當Maggie被殺的那天，自己無法接受眼巴巴的看著她在面前被殺，於是跑下去救她，結果被客貨車撞倒。

當時，自己焦急萬分，一心只想馬上跑到那邊，根本毫不發現那輛駛過來的客貨車。

當緊張某個人的時候，自己會看不見別的東西，一切會變得麻木。O知道，他可以在自己不受傷害的情況下去殺一個人；但卻不能在不受傷害的情況下愛一個人。

愛情，就是要冒險的，而冒險，就意味了可能會受傷。

托爾：怎樣？fall in love?

O並沒有回應甚麼，只是深深地吸了口氣，然後關上了電腦，結束了這樣昂貴的胡扯。

O不斷地問自己，爲何老是心緒不寧似的。

他的腦就像一個墜進了浮沙的旅人，他不能再掙扎和思考，即使小小的轉動，也會使自己沉下去，你越是要爬，就沉得越快。

到底是否如托爾所言，已經 fall in love?

O嘗試放棄了掙扎，只是閉上了眼，完全不去思考。純粹地感受一下那答案。

當O醒來的時候，已經是第二天的黃昏，他就這樣躺在椅子上，足足睡了一整天，他感到渾身乏力，肩膊疼痛。

他嘗試站起來，可是小腿顯得有點麻痺。大概是昨天睡在椅子上的關係。

阿雯已經到了O麗港城的住所，似乎比平日顯得早了點到達。

O用望遠鏡看到，客廳的餐桌上，放有兩個超級市場提袋，似乎雯在來之前已先到超級市場購物。這情況對於她來說是很罕見的。

O發覺自己從昨晚跟阿雯傾談後，不期然地開始對她感到興趣來。他懷疑自己是否已把她當成了 Maggie 的替身。

雖然，阿雯沒有半點跟 Maggie 相像。她沒有彷彿像醫院病人的氣息，也不會定時替O燙衣服，她只是把O的屋當成了一個遊樂場。

但他確是因爲阿雯和 Maggie 的告示，並附有電話便條才聘用她們。

O懷疑，是否 Maggie 背後有一個像阿田這樣的男朋友，替她影印告示，將電話剪成條狀便條。讓O在茫茫人海中找上了她。爲她帶來了工作和死亡。

不會吧。O心想，她不像是個有男友的女孩子。雖然阿雯的表現也不見得像個死了男友的女孩。

要不是昨天聽阿雯說了，O根本看不出她背後有這樣的故事。即使O確實經常花上長時間用望遠鏡去監視她。

其實，一直以來。O能透過眼睛所能知道的事，確是很少。他開始後悔自己，當時怎麼不走過去跟 Maggie 聊聊天，然後找機會試探一下她有沒有男友。

可惜，機會錯過了，往往就一去不返。

O此刻終於明白，他已經失去了一次機會，一次了解 Maggie 的機會。現在，命運的抉擇將再一次來到面前，他已不想再失去了解阿雯的機會。

因此，O動身穿起了外套，離開了工廠大廈。他決定給阿雯一個驚喜。

他並沒有馬上跑到那邊，反而走到裕民坊那兒的一家小花店，買了一束花。O自從中學畢業後已經沒有買過花了，因此感到有點不知所措，本來他是想買玫瑰的。可是花店的老板娘却向O極力推薦空運回來的百合。因此O最後禁不起她的遊說，還是買了一大束的百合花。

O於是拿著這束百合花，一直沿著觀塘道步行到麗港城。

他的心裏有點混亂，擔心不知等一下要說些甚麼才好，自己就像時光倒流，變成了緊張得如初次約會的中學生。

O盡量嘗試叫自己放鬆，可是深呼吸並不奏效，大概那只適用於執行任務，而不適用於送花給女孩子。O感到四肢都有著一陣酸軟的無力感。而心臟只是亂七八糟地跳動著。

O已經想好了一個藉口，自己本來約了一個日本商人吃晚飯，但他臨時改了飛機班次，下午就回到了日本，因此今晚的約會被迫告吹了，而他亦破例地很早回來。

那麼花呢？O想還是看情況而定，如果一切順利的話，就說是回來經過觀塘時隨便買的，但一旦顯得太尷尬的話，就馬上說成，花本來是一早訂了，準備送給那商人的女助手，作爲她幫忙的謝禮的。

於是O懷著忐忑和興奮的心情到達麗港城。他已準備了一些開場白，和一些不太笨拙的笑話，準備一會兒便跟阿雯說。

可是這行業培養出他的直覺，當O一步出電梯，他就感到有點不妥。

他單位的門半掩，於是O伸手進褲袋，摸出了那根鉛筆握在手中，慢慢地推開門。

屋內傢俱一片凌亂，地上佈滿了雜物和玻璃碎片，O有一種不祥的預感。對，阿雯，O馬上警醒起來，到底她在哪兒，他衝進睡房，可是卻看不見阿雯。全屋也不見她的蹤影。O馬上察覺到有事故發生，大概有人上來找他，可是尋不著，於是捉了阿雯去。

那表示他們沒有馬上殺阿雯的意圖，他們一定希望透過阿雯來要脅他出現。

餐桌上的速食杯麵還不住的冒出熱騰騰的蒸氣，他們離開了應該不會太久。

怎麼剛才上來時沒有碰上他們呢？O不斷的反問自己。

「Jesus。」O暗叫起來。怪不得剛才另一部電梯停在此層這麼久，害得他老是在呆等呢！

他們就是挾持著阿雯乘了那電梯逃走呀！

O必須馬上去救她，但既然那些人來找他，就必定是攜同槍械而來。火力更可能很強，根本不能單靠一枝鉛筆。

O環顧四周，可惜卻找不到一件合適的武器。

突然O靈機一動，於是直奔向房間抽屜，拿出了兩把白朗寧的9mm曲尺，插在褲頭。跟著一手拿了一盒子彈，就飛奔進電梯。

在電梯內，O匆忙替兩枝槍的彈匣上子彈，混亂中子彈紙盒撕破了，子彈散落在電梯的地上。O沒有理會，只顧馬上把手槍上膛。然後將一枝插於腰間，另一根就緊握著藏於外套之下。而另一手緊握鉛筆。

到底挾持了阿雯的人會是誰？是教宗要滅他的口，還是蝦餃榮那些手下查出了他是兇手？但最令O擔心的，都不是這些，他最擔心的是如果是托爾找上了阿雯就不得了。

不管是誰，他必須盡快找到阿雯，越拖得久，她的性命將會越危險。

於是當電梯一到大廳，O馬上箭步跑到外面，他知道大概他們還去得不遠，因此不斷在附近搜尋。

果然不出O的所料，他在大廈平台的另一邊看到不遠有他們的蹤影，阿雯被五個彪形大漢所挾持，其中兩名分別扯著阿雯的手臂，強行地拖拉著。向停車場的一邊走去。

O於是不動聲息地潛近了他們，待他們先行的兩名大漢剛推開消防門，進入停車場時，O瞬即從後衝上，握著鉛筆的左手一拳擊向阿雯一旁的大漢頸背，鉛筆馬上刺得他慘叫一聲，並伸手按住從頸背噴濺出來的血。

另一大漢剛要回身察看，O右手順勢一拖，白朗寧猛力地劈向大漢的下巴，劈得他臥身翻倒，掉了四、五顆門牙，一口都是鮮血。

阿雯給這突如其來的偷襲嚇呆了，還沒意識到發生何事，於是O第一時間挽著她的手臂，然後拔足狂奔。

一名大漢正要從腰間掏槍追上來，O於是旋足迴身向太平門那邊連番猝射，幾名大漢馬上撲到一旁躲避。

「怎麼他們……」阿雯望著O，顯得有點憂戚。

「走吧。」O拉著她走。

其中四名大漢馬上舉槍追上來，向O掃射，O一手摟著雯，飛身撲到一輛房車的後面，避過了子彈。但房車的玻璃都被打個粉碎。O用身軀護著阿雯，碎片都跌到他的背上。

「……你不是說你幹餐具生意的嗎？」阿雯問。

「對啊，」O點點頭，一面看著房車的倒後鏡，觀察那幾個傢伙的位置。「這行頭好像越來越複雜。看到那扇門嗎？」O指著大概距離二十呎左右的一個緊急出口。

「嗯哼。」阿雯點點頭。

「數一、二、三，你衝過去，我掩護你。」O從腰間掏出了另一把曲尺，手執雙槍說。

「那……你怎麼辦？」

「放心，你只管跑過去，我會跟著來的。去吧！一二三！」

O一個翻身從車後一躍而起，手中雙槍向大漢那邊瘋狂掃射，槍聲此起彼落，雙槍交織成一片火網，令幾個大漢只得瑟縮於柱後，不敢伸頭出來。

阿雯趁著O不停掃射時，發足狂跑向緊急出口那邊，那是設有警鈴的逃生門，阿雯不以爲意，誰知一推手把，門上的自動警鐘就響了起來，阿雯被那警鐘嚇得驚惶失措，馬上縮手尖叫了一聲，她望向O的那邊，只聽到O大喊。

「進去呀！」

O見雯畏縮不前，於是一面且戰且走，跑向出口那邊，大漢們馬上追上前，於是O攬著雯一起撞入門口處。

O拖著雯一直沿緊急出口的樓梯跑下，他知道必定要盡快擺脫他們離開，因爲剛才警鐘一按動，很快就會有警察到來調查。

O和雯跑出了停車場，於是迅速穿過馬路，大漢尾隨追至，O於是回身還了數槍，跟著繼續逃命。

「你剛才不是打中了他嗎？怎麼那大塊頭沒有倒下？」雯一面跑一面氣急敗壞地問。

「因爲槍是假的。」O一面走一面告訴她。

「甚麼？你是說……這些是家中的道具槍嗎？」阿雯說著把O手中的槍轉向自己，那槍嘴果然內裏焊了一條橫鐵，因此槍只能發射那些有火光而無彈頭的空包彈。

「那他們的槍是眞的嗎？」

「大概是吧！」O告訴她。

「噢，眞的很 Unforgettable 啊。」

他們終於擺脫了大漢們的追逐，跑到月華街的那邊。二人見不到他們的蹤影，於是坐在後巷中稍作休息。

「OK，好了。我再也走不動。」阿雯一面喘氣一面說。「現在你來告訴我，到底發生了甚麼事？」

「對不起，但我現在眞的不知怎樣跟你說。我此刻最重要的是要打通電話，遲一點再跟你談。那幫人應該走了，已經沒事了。你現在不如先回去吧。」

「甚麼？我差點沒命呀！你這算是甚麼意思？你現在叫我回去就回去，怎麼連解釋都不用了嗎？」阿雯氣憤地說。

「聽著，」O喝止了她的抗議。「我現在眞的再沒氣力跟你辯論，剛才我是爲了救你，才第一次拿著玩具槍去跟人家槍戰的。」

「那就很偉大嗎？」阿雯提高聲調去問。「麻煩是衝著你而來的。救我？那些傢伙是要抓你呀！陳先生！」

「現在我眞的不想跟你談，讓我遲些再找你，向你解釋這一切吧。」說著O頭也不回的踏向巷的另一端。

「喂，」雯叫著他，可是他並沒停下來。於是雯只得無奈地蹲下，目送著他離開。

O跑到了觀塘的市區，找到了一個電話亭，打電話給七叔，想看看發生甚麼事。

「……喂，咳……」電話響了良久，那邊才有人跌跌碰碰的拿起了話筒。O可以從聲線中聽出，七叔彷彿像受了傷。

「七叔？」

「……嗯哎？」那邊傳來了微弱的呻吟聲。

「發生了甚麼事？」

「教宗的人曾來過，他們……逼我說出你的地址……對不起，咳咳……我年紀大了，骨頭都挨不得兩下子了……」

「到底怎麼啦？他們不是出了賞金要幹掉托爾嗎？跟我有甚麼關係？」

「不……」七叔斷斷續續地說。「出了點狀況，你惹上了托爾的事，教宗……已經知道。而且……而且，你已經曝光了。」

「甚麼？」

「昨天警方已經發出了通緝令，雖未正式公開……但內部已經派發了，教宗那兒有眼線在警署，所以……」

「不可能的……」

「不，」他停了一會之後告訴O。「是澳門有目擊證人認出了你，而且聽說，他們有你的照片。」

「照片？」

「是在影帶中的影像。」

「Shit。」O知道鄭在圖書館的閉路電視中找到了他。

「雖然影像不大清晰，但加上描圖就不難通緝你。對了，他們找上了沒有？」

「嗯哼，」O告訴他：「但我逃脫了。」

「對不起，我由昨天起便一直找你，可是你的電話和電腦都一直打不通，因此，我無法通知你。對不起……」

「算了，也不關你的事。澳門那邊的錢收了沒有？我大概已經曝光了，但身份仍未暴露。所以我必須盡快離開。」

「我可以替你找船到台南。」七叔說。「錢方面等你到了那邊，我就匯去地下錢莊給你。」

「這個……」

「別想了，再待在這兒，你會有危險的。咳咳……」

「你沒事吧？」O問七叔。

「還可以的……」

軍裝警員PC1148隸屬觀塘警署軍裝D隊。這天他如常的作巡邏，當行經同仁街和裕民坊街交界的電話亭時，他留意到一個年約三十，身高五呎八左右的中國籍男子，他身穿白色T恤，黑色牛仔褲及深藍色風衣。身上有著一股濃烈的硫磺味，正在電話亭打電話。PC1148認爲事有可疑，於是上前查問。但期間他留意到該男子在腰間有一枝類似手槍的物體。於是PC1148馬上拔槍指向該男子，並透過無線電請求總部作出支援。

「不許動，警察。」PC1148向電話亭中的男子喝令：「現在懷疑你藏械。放低電話，慢慢走出來。」

在附近打電話和經過的路人，紛紛停下來，帶著畏懼的心情圍觀著。

「怎麼啦？」七叔從電話的另一端問。

「有警察。」O告訴他。

「多少人？」

「一個。」

「有槍嗎？」

「……有。」

「那就行嘛……咳咳。」七叔說。

「不……這次不行。」

「爲甚麼？只不過是一個警察罷了。」

「不，這次不行。」O嘆了一口氣。「這次是假槍。」

「不是吧？」

「嗯哼。」O喃喃地道。

「我叫你放低電話，慢慢走出來呀！」那警員喝令。

「有機會嗎？」七叔問。

O慢慢轉個頭，望向警員那邊，那警員看來很年輕，只有廿二、三歲。也許是他第一次在巡邏中拔槍拘捕疑犯，因此顯得非常緊張，汗水從帽邊，沿著面頰滴下來。可是即使他如此急急巴巴，但O卻找不著他的錯誤。這小子雖然緊張，可是槍卻握得很緊，眼睛和槍一直沒有離開過半秒。

O知道只要自己稍有異動，這小伙子一定絕不猶疑地在他的胸口開個血洞。

「我想暫時沒有吧。」O一面微笑地望著那警員，一面對著電話再說。

「大概通緝令還沒發下，」七叔告訴他。「一有機會就逃，我馬上替你安排船，大約要兩、三天左右，你逃脫後再聯絡。」

「我叫你出來呀！你聽到沒有？舉手出來呀。」

「好的。」O說著聳聳肩，然後放下電話。

「出來！慢慢的。」警員說著後退了一步，「手舉起來，別作怪，慢慢的出來。」

「OK，OK。」O帶點輕佻的語氣說。跟著照他的意思走了出來。「阿Sir……」

「先別說話，現在慢慢轉身背向我，然後雙腿擘開，大字形的躺下。面向地面，記著，要慢慢的。」

O照他的意思躺下，期間稍稍一瞥，那警員的槍完全沒有偏離過他。

「現在，用雙手抱著後腦。」PC1148極力令自己的語氣不要如此緊張，聽起來好像胸有成竹一點。

「那只是玩具槍……」O趴在地上喊道。

「阿Sir還沒有問你，你先不用說。」跟著PC1148從O的腳那邊趨前，用單膝跪下。「別動呀……」

他用左腳膝頭壓住O的腰背，令他無法動彈。跟著一手握槍指向他，另一手就伸到O的腰間，取出了兩枝白朗寧曲尺手槍。

PC1148把曲尺插在自己的腰背，然後一手取出了手銬，用力把手銬敲向O的右手手腕扣上後便將其右手從後腦反向腰背。

「噢！好痛哎！」O被弄痛得慘叫起來。

警員繼續把O的左手扣上，跟著搜了O的身，肯定他沒有藏有其他攻擊性武器。跟著，他終於能鬆一口氣，因爲他終於成功完成了他第一次在街上拘捕疑犯的過程。他本以爲是一般性的拘捕，却沒想到這會對自己的人生有多大的影響，甚至是他警務生涯中的一個極重要時候。

在此事相隔了3個星期後，有一本週刊的記者採訪PC1148，他這樣的形容當天的經歷。

「根本沒有想到他是誰，心裡只想盡快把他扣上手銬，完成拘捕。EU（衝鋒車）早點到。」

「我不認爲當時自己處理不當，他的手上確是只有兩枝手槍，而且我很快就知道它們是假的。」

「而那時的程序，絕對沒有違反警務條例。而且當時人群太多，現場只有我一個……我既要防範他突然反抗，又要控制圍觀人群，更要提防他是否有別的餘黨……」

「因此，我當時的搜身，只是確保他身上再沒有武器。而且回到報案室，還有另一次搜身……」

「我想，這事會令我吸取到一些教訓，但我認爲那時我並沒有失職。即使那時我知道他是誰，我也是如此拘捕他的。」

註解

①Nostradamus：拿斯特拉得馬斯（1503-1566）。法國著名預言家。以詩歌形式作預言，著有十冊名爲《世紀》的預言，曾準確言中了亨利二世之死因、倫敦大火和瘟疫及希特勒的崛起等事。

②根據華倫委員會的報告，刺客奧斯華於五點六秒內使用單發卡堪農步槍連發三槍。其中一槍失誤，另外兩槍分別擊中甘迺迪的脖子和右邊頭顱。由於該步槍出名不靈活，因此不少人一直懷疑奧是否能做出如此高難度的成績。而該時間則是根據現場亞伯拉罕・雷普得拍下的影帶計算出來。

③唐那休：霍華・唐那休（Howard Donahue），美國巴爾的摩市著名彈道學和法醫專家。一九六七年應哥倫比亞廣播公司邀請，進行模擬行刺甘迺迪實驗。結果做出了以四點八秒三發命中標靶的記錄，轟動一時，並印證了華倫報告的論點。

14 機會・是呀，先走了！・遲來一步只剩血

O向警員解釋那槍只是一把玩具道具槍，他剛才是在和幾個喜歡玩 War Game 的朋友在玩槍戰罷了，身上的硫磺味也是如此來的。

可是警員堅持不接受這解釋，雖然他也看出這枝是槍管焊了鐵的道具槍，但他告訴O，他這樣帶玩具槍上街，已是觸犯法例，因此必須將他帶回警署。

其實O很清楚，他即使怎樣解釋，這警員也不會放過他，只是他努力裝出一副很老實的模樣，企圖令他減輕戒備，誤以爲真的只是玩 War Game，不會將他和通緝令上的犯人馬上聯想起來。

衝鋒車把O載至觀塘警署，他手上仍戴著手銬。他被押解到報案室。PC1148 將他交給在報案室內的值日官（Duty Officer）。並向他簡單報告拘捕O的經過。

值日官吩咐睇樓①陪同警員，再次在報案室內替疑犯搜身。他們搜出了一個有一萬七千多元港幣、九百八十元台幣的錢包，沒有任何身份證明文件，一串鎖匙和少量輔幣。於是警員用透明的犯人財物袋包好，然後貼上封條，由睇樓簽收。

跟著 PC1148 便把O帶往報案室內的單獨會面室。然後自己到了外面，他正忙於把剛才的經過寫於自己的警員記事冊，和填寫 POL.159 ②。

O單獨地被留在會面室中，他環顧四周，那裏是一間四十平方呎的無窗房間，天花板上的燈管發散著如「海皇粥麵」店內特有的刺眼強光。房內只有一張桌子和兩張椅。會面室的門並沒有關，O看到剛才那警員就坐在外頭辦公桌處，埋頭填寫文件，顯得有點吃力，似乎他並不怎麼精於文書的工作。

O在盤算著，報案室裏大約有十一、二個警員，連同走廊路過的。可能共有十五、六人。要是硬拚的話，這樣的衝出去，大約可徒手幹掉兩個警員，連配槍和後備子彈，有廿四發。大概足夠跟在場的警員火拚，殺出一條血路。

只要能衝出報案室，十五秒內就可到閘口，剛才進來時，O看見當值的是個滿面疲態的胖子，應該不難解決。幸運的話還能在停車場找到一輛車。

唯一問題，萬一報案室中O不能在極短時間內控制現場，恐怕就會陷入無止的拉鋸槍戰，或挾持人質的把戲。

要是有個滅聲器還好，可是在這環境，只要槍戰超過廿秒，馬上就會引來三、四十名警察。令這樣反抗的成功率大打折扣。

O必須找一個更有利的環境。

PC1148在填好了文件後，就進來會面室，給O做一份「補錄警誡口供」[3]。O告訴他，自己是台灣來的商人，住在一個朋友家裏，今天隨他來到觀塘，在附近的山頭玩 War Game 槍戰。最後他走失了。本想致電到朋友家中，問他家人他的傳呼機號碼。可是却被他拉了回來。

於是，警員把完成了的口供交給 DO ④。

「唉，這晚已經忙到快斷氣了，還來些他媽的混帳台灣佬。」DO 看過口供後老是在搖頭嘆氣。「燒張黃紙，要上面 CID 找人把此 AP ⑤拿上去。」

「Yes Sir，」PC1148 回應他。

所謂「燒黃紙」，是報案室中的術語。即是當遇上可能犯上刑事罪行的犯人，需轉解刑事偵緝部探員時，便要填寫一張黃色的 CCR（Criminal Complain Report）文件，讓偵緝部找探員到報案室接收疑犯，那份文件就是所謂的黃紙。

DO 一面把有關資料寫下了值日官的拘留簿，一方面吩咐睇樓替O做一份 POL.27。即疑犯的指模檔案。

不久，刑事偵緝部便派來了一個年輕的便衣警員，小伙子跟睇樓簽了個名，便接收疑犯。

「大哥，」小伙子跟那軍警打了個招呼。「他犯甚麼？」

「藏有攻擊性武器。兩枝白朗寧曲尺。」

「嘩！」小伙子不禁叫了起來。

「但槍嘴焊死了，是那種模型店有售的玩具，只有火花射出的那類。」他補充著。

「就是拍戲那些道具槍？」

「對啊。他說是跟朋友來玩 War Game，現在迷失了路。」

「外地人？」

「他說是台灣回來的。」

「嗯哼，那還有其他的嗎？」

「還不知道。」

「這個行啦。」小伙子示意O站起來。讓軍警解去他背後的手銬。然後偵緝部小伙子用自己的手銬把O的手再扣在面前。「讓我們來招呼他吧。」

O被帶往位於四樓刑事偵緝部大房。本來，他可以在電梯中幹掉這傢伙，可是電梯剛要關門，又進來了幾名警員，令O一直找不到機會。

O在大房裏被探員盤問和做 POL.539 記錄⑥，O一面回答探員的查問，一面留意著房間裏的情況，在偵緝部的大房內，有八名便衣探員，有兩個在O的右面，替一個看似宿醉未醒的男人在錄口供。而對面的那桌子，坐著兩個在打文件。有一個則在關帝像旁跟一個疑犯在吵架。他們的聲音很大，可是誰都不在意，一個女警經常進進出出，有時拿文件出去，有時又拿證物進來。而一個看似較高級的警官，則坐在一間辦公室內，那兒有一塊大玻璃，可看穿整個大房的情況。

正在打字的探員旁的電話響了起來，跟著便走進了那高級警員的辦公室。

「外面那混混甚麼料子？」房內的督察問探員。

「那傢伙是台灣來的，警署的弟兄搜到他身上有兩枝玩具槍。阿木正在替他錄口供。」

「嗯，」督察透過辦公室的玻璃望他。「那找到了他的入境記錄嗎？」

「已經叫弟兄們去查了，但入境處下班了。資料可能明天早上才拿到。」

「你過來看看這傳眞。」督察有點猶疑地說。「這是剛收到O記發出的通緝令。你看看這傢伙是不是有點像他？」

那探員於是拿著傳眞和他對照一下。其中那錄影帶上拷下來的照片，因爲再加上傳眞的關係，顯得很模糊，無法辨認，只是那拼圖就顯得輪廓上有點相似。

「單看拼圖，臉型上有點像。但要再看清這相片才能肯定。」

「那你出去打個電話，問問O記的同事，找負責這案子的人來這兒認認人。」

「Yes Sir。」探員說著退了出去。

「阿 Sir，我想去廁所。」

「我告訴你，你不要耍花樣。」那年輕探員厲色道，「否則有你好看的。」

「阿 Sir，幫幫忙，我的肚子很痛。」O按著肚皮，面容痛得扭曲地說：「大概是搞腸痧吧。我眞的要上廁所呢，你不是要我在這兒拉肚子吧？」

本來，這些疑犯裝模作樣的把戲，探員郭潤木已司空見慣。只是他覺得這傢伙的確是好像很痛苦，而且他又不是犯了甚麼大案，手上又套上了手銬，大概沒有甚麼問題吧，因此決定讓他上廁所。

「喂，我帶這混混去撇條，等一下就回來。」郭潤木跟坐在對面的同事說。

探員把O帶到走廊末端的廁所，O進了廁所後關上了門。而郭潤木就在洗手盆前點上一根香煙，一面抽一面等他。

O知道他必須盡快逃走，剛才房內那警官似乎對他的身份起了疑心……要是發現了他是通緝犯的話，就更加難逃了。

因此他刻意地拉開拉鏈，半脫下褲子，讓在外面的探員以爲他眞的在大便。

O馬上除下頸項上的頸鏈，剛才在兩次搜身中，警察也沒有留意到它。

這條銀頸鏈只是從旺角飾物店中買回來的廉價貨式，平凡得即使是街頭劫匪也不會有興趣的那種，上面扣著一個純銀的十字架，手工並不精細，就像用兩枝粗鐵絲焊成似的。大約只有三、四厘米左右。

可是只要用心細看，就能發現十字架底部有一微微凸出的部分，即使距離兩呎看也不易發覺。

原來十字架上的直條，是O用在軍備店買回來的手銬鎖匙前端切了，然後再自行焊接出來的。因此從表面看會是一個裝飾十字架，但事實上，却是一條暗藏的手銬鎖匙。

O把十字架的前端插進手銬的鎖匙孔，然後用力一扭，手銬很順利的開啓了。

「怎麼啦？這麼久，生孩子嗎？」外面的探員已有點顯得不耐煩。

「快啦。」O在廁所中回應著。

O站了起來穿回褲子，然後拉動抽水馬桶，水箱發出沙啦沙啦的抽水聲，而他就用這抽水聲作掩護，把塑膠眼鏡的支架屈斷。

原來在塑膠眼鏡的支架兩邊，隱藏了兩根用強化鋼製的雙刃匕首，匕首的中心被裝在支架彎曲的部分，細長的刀子代替了補強用鐵絲裝於支架內。匕首刃邊是扁平的三刀形，而依靠裝在像脊背般的條紋上，以保持牢固。

這個在丹麥購入的眼鏡框，經常成爲O的最後一度防線，因爲它可以讓人毫不察覺，既可通過裝有金屬探測器的檢查站，也可通過搜身，因爲警員要讓疑犯看到口供，所以不可以沒收他的眼鏡。

O用食指和中指夾著支架彎曲部分，然後緊緊握拳，把匕首控定於手中。然後深深吸了一口氣。

探員的煙已抽了大半根，當他看到O出來，便隨便的把煙丟在地上，跟著用脚踏熄了它。

誰知他再一抬頭，O已撲至面前。剛才手上明明緊緊扣著的手銬已經鬆脫，右手的拳頭突然從下抽出一根尖銳的匕首。在他驚惶未定之際，拳頭就向他的顎側猛力打過去。

在郭潤木感到被拳頭擊中的衝力時，他已來不及察覺匕首刺入他腦內的痛楚。

O深深地刺入後就使勁一屈，令刀的彎曲手把折斷，刀刃就留在探員的頭內。這一下是爲了增加對大腦內部的破壞，而且保障被刺目標不會在掙扎時抽出了匕首。而且若有人來救援，這樣就可以不留下任何傷口的痕跡，也沒有血液流出，傷口被隱藏起來，其他人即使想搶救也來不及。

郭潤木當下怔了怔，跟著用手搔癢著頸項的位置，他感覺好像被一隻巨型的大蚊，深深地釘了一下似的。他的手指可以觸摸到微微隆起的角鐵。

他想喊叫出來，但口和鼻孔都給O的手用力壓著，發不出半點聲響。

O順手把他一拋，直推入一個廁所當中，他坐在馬桶上抽搐了幾下，跟著便倒下來。O馬上從他的身上搜出了佩槍、警員證和錢包中的現金，跟著反鎖廁所的門，若無其事的離開洗手間。

O從走廊一直走向電梯，警員證故意夾在襯衣上用外套半掩，只凸出一角，不讓人看見證件上的照片和名字，自己也裝出一副正在沉思的模樣，盡量避免跟別人的目光接觸和搭訕。

當電梯到達地下，O需穿過剛才進來的走廊。警員不斷迎面而來，有三三兩兩趕著換班，部分則要到槍房取槍出外巡邏，大堂門口只不過相距十米罷了，但走廊卻似近還遠，彷彿是永遠都走不完的時光隧道。O雖叫自己保持平日一貫的冷靜，但却按捺不住，心臟如同籃球般彈動著，每一下都震撼了身軀，差點叫人平衡不住而倒下。

O鼓起最大的勇氣，一直支撐著身軀，緩緩地穿過了人群，一直到達大堂，隔著玻璃門，他看到 PC1148 仍忙在報案室中填寫文件。

他沒有回頭，只是一步步的踏出警署。

負責駐守門口的警員，事後在口供中這樣敍述：

……那時他一面行一面舉起左手，按著自己的頸背在按摩著，一副剛下班的疲累模樣。當時我正站在警崗前，即是他的左邊，他的手臂正擋住了他大部分的臉，我根本看不清他。現在回想起來，我想他那動作是故意的。

……但即使看到也認不出來吧，怎麼可能認得呀，從早到晚有這麼多人出入，有警員，也有來報案的，甚至連來學跆拳道班的少年警訊成員也有。怎麼能怪我呀！

……不過，當時我看到他胸前好像掛了 Pass。我想他會是警員吧。於是我隨口跟他說了句：「收工呀，大哥？」

他沒有放下手，也沒有停下或回頭，只是微微地點了點頭。然後好像很倦，很含糊地回應了一句：

「是呀，先走了！」

差不多凌晨三時，待在電話旁的七叔。終於等到了電腦電話傳來有來電的訊號。甚麼時候上船？

七叔馬上知道那是O，於是鍵入：怎麼啦？逃了？有沒有受傷？

那邊過了片刻的傳入：還好。船安排好了？

七叔：現在警方在四處抓你，最快也要後天才有可靠的船到基隆。地點時間要明天才知。你現在在哪兒？安全嗎？

O：放心，這兒很安全，沒有人知道的。

七叔：不要回家，敎宗已知你的地址，可能隨時再去找你的。你需要槍嗎？

O：行了。

七叔：那我怎麼找你？

O過了一會後輸入：到時我自會找你。

當鄭錦富駕車到達觀塘警署的大門前，他已經感到有點不對勁。大閘並沒有像平日般打開，而是關上後由三名軍裝警員把守，攔著塞滿入口的記者。

鄭不禁有點意外，爲何有那麼多的記者，O的身份還沒有證實，警方也沒有對外發放消息呀！

而當鄭的車駛進警署的範圍內，他見到一部救護車就停在停車場內，警員們的表情個個神色凝重。

此時，鄭知道有壞消息正等待著他。

「怎麼可能，套著手銬有人看守都能讓他跑掉？」鄭氣憤地向偵緝部的警官投訴。

「我們仍在調查他到底如何逃脫的，但從找到的碎片判斷，他應該是把刀藏在眼鏡之內。」

「那你們應該早就檢查到嘛！他是個重犯呀！」鄭激動地叫，在旁的 Gi Gi 也不敢勸止他。

「鄭 Sir，那通緝令是剛傳真到的，軍裝警員拘捕他時，在他身上也只有兩枝玩具槍，怎能馬上知道他是重犯呀？而且搜身在報案室已搜了！犯人要看供詞，我們不能每個犯人的眼鏡也沒收了。你不是第一天當差吧？」偵緝部內督察忍不住在反駡著。

「你說甚麼？」鄭一怒之下踢翻了面前椅子，正想上前揮拳向那督察，但却被阿琛和其他人制止了。

而偵緝部的探員亦拉開了那督察。

「我明白你很緊張那個嫌犯，但我亦緊張我的警員。現在我死了一個下屬，等一下還要去跟他的家人交待。沒有人想給他逃脫的。大家也不想的。」那督察說著推開了衆人，然後自己離開了大房。

註解

①睇樓：（Tai Lau）即負責協助報案室內值日官之警員。簡稱 TL。

②POL.159：爲「初次簡報」（First Information）之文件編號。簡單記錄負責警員在何處遇上疑犯及拘捕之經過。

③補錄警誡口供：即疑犯第一份正式盤問的口供記錄，警員須在記錄前向疑犯進行警誡，淸楚告訴他其緘默權利及其答案說話將作呈堂證供的可能。事後須交其閱讀及簽署。文件編號爲 POL.857。

④DO：值日官之簡稱。

⑤AP：被逮捕人士（Arrested Person）之簡稱。

⑥POL.539：爲「刑事紀錄科」（Criminal Records Bureau）之文件編號。詳細記錄疑犯資料和外貌特徵。

15 地板上的刀坑・線索・感情的爆發

雖然被O從警署逃脫了，但此事也不是毫無收穫。在麗港城某大廈的管理員，因為發現了在電梯中有數十顆類似子彈的東西，於是報了警。警員到場時發現那些是道具槍所用的無彈頭空包彈，並沒有殺傷力。只是除了頂部是塑膠包著不含彈頭外，內裏的火藥和口徑完全跟眞實子彈無疑。

而這是屬於O被搜出的白朗寧9㎜曲尺所用的。跟那兩枝槍內的空包彈是同一款式。但令鄭錦富感興趣的，是在附近的一個停車場內，那兒四周遍佈了這類空包彈彈殼，但這些是沒殺傷力的，應該不會造成破壞，可是現場四處却佈滿彈孔，停泊在附近的車，玻璃都被打碎，玻璃碎片滿地。而緊急逃生通道因爲被人擅自推開，而導致警鈴長鳴。

軍火專家在現場撿拾彈頭後，證實現場除了發射自警方搜獲的那兩枝道具槍的彈殼外，還有廿一顆發射自兩枝或以上不同型號手槍的彈頭——他當然是指眞眞正正的手槍。

據管理員所說，當天先有四、五名穿西裝的大漢來到，那管理員要求他們在訪客登記冊上簽名，但却被他們拒絕並用力推開。其後又來了一個拿著一大束百合花的男子。他剛進了一部電梯，那數名大漢就從另一部電梯中出來，並把一個女孩子挾在中間，大廈管理員本想上前問個究竟，可是却被大漢喝止了，並警告不要多事。但他却認出了這少女是七樓的住客。

旋即，剛才那個拿著百合花的男子，便匆忙地從電梯出來。大廈管理員上前查看，電梯內一地子彈。

管理員從拼圖中認出了，那拿著百合花的男子就是O。

爲免打草驚蛇，鄭錦富並沒有馬上進行搜查，加上並未肯定是七樓的哪單位。因此只是派出探員在大廈四周採取潮水式監視。所謂潮水式監視，就是由狗仔隊成員和便衣探員以各種身份在各處潛伏當「暗樁」，留意所有出入的可疑人物。

而鄭錦富和B隊的其他探員，即在對面附近大廈處監視各個七樓的單位。

終於，他們在敬業街工廠大廈的頂樓陽台觀察到。該大廈七樓向偉發道架空天橋的C座單位最可疑。

那單位內並沒有人，但却亮了燈，可是滿屋却翻得很亂，地板上有點玻璃碎片。近門口處的角落，還有一束百合花。

「是了！」鄭錦富笑著說。

資料顯示，該單位是以一間「迅達貿易（香港）公司」的名義購入的，公司的持牌人是一個叫陳浩然的三十三歲中國籍男子，他所報的地址亦是此單位。

果然不出所料，鄭要求指紋部將陳浩然之指模跟先前警署拘捕的疑犯指模核對之下，也發現是同一人。

於是，鄭錦富就可以肯定所謂江湖傳聞的不死刺客，正是這個名叫陳浩然的人，他的身份終於被揭開。

可是鄭錦富沒有馬上向外公佈，反而吩咐手下封鎖消息。因爲O本身並不知道警方已掌握了他的身份和地址。所以極有可能會再於上址出現。

鄭吩咐鏘仔和阿琛負責監視麗港城大廈的四周範圍，而他則負責在對面工廠大廈的頂樓陽台設立指揮中心。

從這裏望過去，可淸楚監視那單位內的情況。

「那麼，那個O就是用那兩把道具槍在停車場內槍戰嗎?」Gi Gi 一面靠著頂樓陽台的圍欄一面問鄭錦富。

「很可能。」鄭回答，眼睛就一直沒有離開過望遠鏡。

「那他爲甚麼這樣做呢?是不是爲了要救那女的?到底她會是甚麼人呢?」

「也許是拍檔之類，如果她落入他人手中，自己的身份就會暴露了，我想也許是這樣吧。」

「才不呢，」Gi Gi 反駁他。「哪値得爲拍檔冒這樣的險?我想那可能是他的女友呢!有甚麼比救喜歡的人還重要。」

「爲何這麼肯定?」

「那是假槍呀，換了是你，你會肯爲一個你不愛的人冒險嗎?只是純粹的拍檔。愛得稍微不深都不行呀。」Gi Gi 語氣肯定地說。

鄭錦富看看她，只笑不語。

於是 Gi Gi 想了一會後繼續說：「即使是拍檔，也必定是有愛存在的，我肯定。但，我們要繼續在這裏監視多久呢？」

「不知，這是我們唯一掌握的證據。我們只得繼續監視下去，等到他出現。」鄭說著從口袋中抽出一包香煙，跟著點起了一根來抽。

「可給我試一口嗎？」Gi Gi 指著他手上的煙。

「嗯，你抽煙嗎？怎麼不知道的？」

「我只是想試試。」

於是鄭便把煙遞給 Gi Gi。Gi Gi 舔舔嘴唇，然後深深地吸了一口，但卻像初學抽煙者般猛力地咳嗽起來。

「好苦，好苦。」她一面喘著氣一面把煙遞回給鄭。「還是買些女性香煙吧！聽說味道會沒有這麼濃烈刺鼻。」

「為甚麼要學抽煙呢？女孩子學抽煙不好看呢！」鄭說。

「可是不抽煙就不像警察嘛！」Gi Gi 嘆了一口氣道。「哪有便衣不抽煙不說粗話的啊？」

「那就要學說粗話嗎？」

「當然呀，你替那些傢伙錄口供時，不說一兩句粗話，哪些傢伙會以為你是女孩子，還夠膽在言語上對你性騷擾呢！」

「是嗎？那你學會說粗話沒有？」鄭很感興趣。

「一點點吧，但始終不是很流利。」Gi Gi 伸伸舌笑說。

「是嗎，那說一兩句來聽聽吧。」

「甚麼？現在？」

「對呀！怕甚麼？」

Gi Gi 於是想了片刻：「唔，那這個吧。」

她靠到鄭耳邊，低聲地告訴鄭。

鄭忍不住格格地笑了起來。

「怎麼啦？」Gi Gi 驚訝鄭會如此的反應。「很難聽嗎？」

「哈哈……不，只是沒有人會這樣說的。」鄭告訴她。

「嗯哼？」

「那個字不會用在這裏的。如果一定要用那字——那個字——就應該將次序調一調。」

「甚麼？應該怎樣？」

鄭於是靠向 Gi Gi 耳邊，低聲訴說了正確的說法。Gi Gi 聽後馬上笑了起來。

「那這句怎麼說？」Gi Gi 再耳語的告訴了鄭。

「不用兩個字疊在一起，多蠢。」他說。

「嗯，那這個呢？」Gi Gi 剛要靠上前說，可是鄭舉手示意她不要說，他手上的無線電響了起來。

「甚麼事？」鄭問。阿琛正在另一邊傳呼他。

「鄭 Sir。」阿琛報告著。「在地鐵站發現了有一個類似那個大廈管理員形容的女孩。她正向著大廈方向走去。鄭 Sir，那我們應該怎樣？」

「怎麼她還會回來？是找O嗎？」Gi Gi 問道。

鄭猶疑了一會後問：「那她是否一個人？」

「對呀。要拘捕她嗎？」

「不。」鄭說。「讓她上去，先別打草驚蛇，反正也跑不掉，就讓她上去。看看她會怎樣。」

阿雯自昨晚在後巷中跟O分別後，晚上一直無法入睡，她擔心著O的安危，不知那些人是否再逮住了O。今早新聞說昨晚有懷槍男子在裕民坊被捕，其後在觀塘警署內殺警越獄，她很擔心那是不是O。

她後悔昨天在後巷的語氣會如此重。她總是這樣不能控制自己的情緒，經常傷害別人，也傷害了自己。

今天她整天沒有上班，然後一直收聽新聞報導。可是總沒有關於逃犯的進一步報導！

那麼，大概陳先生已經逃脫了。不，阿雯不應再叫他陳先生，應叫他做O，因爲昨天闖上來的大漢，都稱他爲O的。

那他會到了哪兒呢？會回到麗港城嗎？不，她想，怎麼可能他會回來呢？半年來她都從未見過他回家。大概是早就找地方藏起來了，幹嘛來找自己，自己只不過是個無關痛癢的人呀！

雖然她老是這樣跟自己說，可是自制力和理智彷彿是以太陽爲能源似的，到了日落西沉，身體就不由自主地上路，一直向O的家走去。期望他會聯絡她，或向她解釋昨天的事。

當進入屋內，阿雯看到落在角落的一束百合花。不禁怔了一下。跟著便深深地吸了一口氣，開始打掃房子。

她先從櫃中找來一個瓶子，把百合花插了起來，跟著便把地上打破的玻璃碎片掃掉。將給大漢們翻得一地的雜物放回櫃內。

阿雯開了吸塵器，將剛才可能掃漏的玻璃碎片吸走，想起有點慚愧，工作了半年，但自己眞的開動吸塵器的次數，大概不會多過三次。

吸過塵後，阿雯感到還不夠，過去半年偷懶的罪惡感一下子像長江三峽的洪水般湧過來。她到廚房雜物櫃中找出了一罐塵封已久的打蠟水，她決定要替全屋的地板打一次蠟。

當她用拖把在柚木地板上塗打蠟水時。阿雯察覺到在近大門附近的地板上，有一道約長六、七厘米的深坑，大概是由重物擊下地板而形成的。

深坑的邊已經被磨得平滑了，大概不是最近形成的，已經存在已久。阿雯奇怪自己爲何從沒有留意到呢？

其實這並不難了解，因爲她在過去的日子，從沒有稍微留意一下地板的情況。於是，她決定把這個長坑塡平，她先將打蠟水直接倒在坑上，然後用布輕輕一抹，她待打蠟水乾了後再重複地作了兩次，於是坑位就被打蠟水塡平了，木板變得如鏡面一樣光滑，就像把坑位鑲嵌在玻璃相框中，彷彿只是柚木上的一層深色木紋似的。

「幹嗎?難道她是負責來打掃收拾的兼職?」Gi Gi感到有點莫名其妙。

鄭沒有回答她，只是全神貫注地看著屋內的情況，因爲O隨時可能會跟她聯絡。

鄭慶幸這屋並不難監視，窗戶都拓寬了，沒有窗簾，並且所有的窗都正向著敬業街那邊，而且窗前沒有甚麼雜物阻礙視線，而客廳的鏡子正好能反射到睡房看不到的走廊，令全屋的情況，差不多可以一覽無遺。非常有利於他們在此監視。

「阿琛、阿琛。」鄭錦富在無線電中叫喚著，「你那兒有沒有甚麼狀況?」

「一切如常呀，鄭Sir。」阿琛過了一會兒說。「其實這事已經公開了，我相信他可能不會回來的。」

「不，我相信他一定會回來的，這女人對他應該很重要的，否則他不會用玩具槍去和別人開火。既然這女孩回來了，即是她還不知這住所已曝光，因此O也可能會回來的。」

「鄭Sir，那屋裏有電話!」坐在頂樓陽台鐵皮屋內臨時指揮中心儀器前的警員突然這樣告訴鄭錦富。

「快！快！」鄭馬上大喊起來。「追查電話來源……Shit！她等甚麼，為何不拿起聽筒？她想怎樣？聾子嗎？」

鄭透過望遠鏡，看見阿雯只是站在電話前，遲遲沒有拿起電話。接著，一段白紙從傳真機徐徐地冒出來。

「是Fax。」Gi Gi 喃喃地道。

「可能是疑匪傳真來的，所有工作人員要打醒十二分精神。」鄭透過無線電吩咐所有警員戒備。

「查到電話來源沒有？」鄭問儀器前的警員。

「等一下……」警員告訴鄭。「查到了，是由觀塘區打出的……地址是麗港城商場2B鋪。」

「OK，鏘仔，」鄭在無線電中呼叫：「電話來源已查到，是麗港城商場2B鋪，2B鋪。馬上找一隊人過去查看，如見到O千萬小心，避免開火，那會傷及許多路人的，小心。」

「Yes, Sir.」鏘仔回應。

阿雯拿著傳眞來細閱，由於她背著窗，鄭根本無法望到上面是些甚麼的。

「Sir，」Gi Gi 問鄭。「我們要多派一隊人過去支援鏘仔他們嗎？疑犯可能火力很大啊……」

「等一下，」鄭示意Gi Gi 不要說。「我要看一下傳眞是甚麼。」

阿雯拿著傳眞轉身走到松木板前，松木告示板大約有四呎乘五呎的大，裝在客廳的牆上，正對窗戶，對於一般住宅來說，這個告示板是大了些許，彷彿像個辦公室似的。

阿雯將兩張傳眞用大頭釘釘在松木板上，但她沒有疊在一起的釘，而是把兩張分別整齊地釘在板上。

鄭改用倍數較大的單筒天文望遠鏡去觀察，他終於看到了那傳眞是甚麼。

「Shit。」他暗叫了一聲。

「甚麼，是O的傳眞嗎？」

「不，只是快餐店的傳眞外賣廣告。」鄭說。

片刻，無線電中傳來了鏘仔的聲音：「鄭Sir，沒有啊！那只是間餐廳，他們把外賣的廣告傳眞了過去而已。沒有甚麼可疑的人啊。」

「OK，我這邊也看到了，你們先回到自己的位置吧！」

「Yes, Sir.」

「鄭Sir，你已廿多個小時沒有睡覺了，你不休息一會嗎？」Gi Gi問鄭。

「不，我不累。」

「那不如先喝杯咖啡吧！」Gi Gi遞上了一杯熱騰騰的咖啡。

「嗯，謝謝。」於是他接過了喝了一口。

「幸好她把傳眞分開的釘在板上，讓我們在這裏可看個清楚。」Gi Gi一面喝著巧克力一面說。「否則就連累我們要白走一趟啦！」

「嗯，甚麼？你剛才說甚麼？」鄭突然神色凝重地問。

「啊？我說否則要累我們白走一趟嘛。」

「不，不不。再前面的，你說甚麼？」

「我說……幸好她把傳眞分開釘，好讓我們在這兒清楚看見嘛！到底有甚麼問題？」

「對呀！」鄭叫了起來，嚇了Gi Gi一跳。

他馬上再用望遠鏡觀察，板上的傳眞和便條，都是些無關痛癢的事，餐廳的外賣廣告單、傳眞廣告、電費單據和購物單據之類的東西，可是每張都整齊地分開釘在板上，傳眞之間絕不會重疊。

根本沒有必要這樣麻煩的啊，兩三張的傳眞，疊在一起釘就可以了，要看的話走過去一翻就是嘛！

可是鄭卻發現在木板的右邊，有一張小字條。

> 徐小姐：
> 凡收到任何傳眞、單據，
> 請每張分開的釘在板上，
> 絕不要疊在一起。
> 陳

部分的字是被紅筆畫線的。可見分開地釘對O來說是何等的重要。

「有了！我終於明白O為何要她分開地釘啦！」鄭興奮地說。

「為何？」

「你試想。為何一個人會介意別人把傳眞疊在一起地釘呢？那是因為不便他去看嘛！」

「嗯？」

「你還不明白嗎？」鄭告訴 Gi Gi。「那是因為他不能走近去翻嘛！他就跟我們一樣躲在敬業街那邊呀！」

「他就是躲在這些工廠大廈中，像遙控般監視著那單位，因此他必須要把傳眞分開來釘，才能了解當中的內容呀！」

「你看，從這邊望過去，全屋也窺探得一淸二楚。連屋內安裝的鏡子也有特別用意的，它反射了死角位置，可讓我們看到走廊和廚房那邊。」

「你明白嗎？他根本不會過去，他一直以來都是躲在敬業街那邊的。」鄭錦富激動地說。

「噢。」Gi Gi 不禁對鄭感到佩服。

「全員注意，全員注意。」鄭對無線電在呼叫著。「疑犯極有可能匿藏於敬業街這邊，除了阿琛那隊人上去拘捕那女的。其餘過來敬業街。」

「我要封鎖由興業街交界到偉業街交界的一段敬業街。除了警員外，任何人一律不得出入。所有人分隊搜查每幢工廠大廈，可先由七樓以上，向麗港城的單位開始往上搜，因為下面的被架空天橋所擋，是看不到麗港城那邊的。大家小心，疑匪是極危險人物。」

「OK? Go Go Go Go!」

鄭於是拔出手槍，帶領探員搜查該大廈的十樓，並要Gi Gi等人負責搜九樓，其餘的人負責不同之樓層。

「小心點。」鄭臨行前吩咐大家。

「Yes, Sir.」

在臨時指揮中心所在的大廈，每層所有向麗港城的單位只有兩個，於是Gi Gi和同僚發現到其中一個單位的拉閘只是虛掩，並沒有鎖上。Gi Gi感到可疑，於是她舉起手，示意探員們先搜查此單位。並輕輕地舉起槍，準備隨時開火。

Gi Gi和探員擺好了陣勢，跟著便徐徐把鐵閘推開。閘後的門也是沒有完全關上的，Gi Gi靠在門邊，示意一個高大的男探員去踢開那門。男探員於是手握佩槍正要提脚運勁，但Gi Gi却猛力搖頭，狠狠地指著他握佩槍的手和剛提起的脚。

那男探員想了片刻才明白。他是用右手握槍的，而準備踢門的是右脚。這是很危險的，因爲當踢門時順勢會跨步入屋。如果用錯了右脚先入，而匪徒又在自己右邊出現的話，那便要很不自然地扭腰和後退一步。在千鈞一髮間就會讓對方有機可乘，自己則可能有生命危險。

因此如用右手握槍，則應用左脚踢門。

於是男探員換了左脚將門踢開。環顧四周無人，於是其餘人一湧而入。

Gi Gi 看到這兒環境混亂，燈管閃爍不定，水渠不斷有水滴出，看來像個已荒廢了許久的舊工場似的，穿過碎石瓦礫。Gi Gi 看到近窗口處的燈光較強。那兒放有一張帆布床，有一張磨沙玻璃桌，和一個時裝店的掛衣鋼架。窗旁放置了一支裝在脚架上的單筒望遠鏡。桌上有一副開啓了的無線電，並且調整至警方的頻道，可以聽到警員在報告著。另外還有一個筆筒，內裏全裝著一些木鉛筆。

「鄭 Sir。」Gi Gi 向無線電呼叫。

「甚麼？」

「我們已找到了陳浩然的單位，但他的人不在。」Gi Gi 告訴他。「他截聽了我們的頻道。」

「做得好，你先別動甚麼，我馬上下來。」鄭錦富回答。

Gi Gi 不禁暗自歡喜，她終於有點成就給鄭錦富看，證明自己不只是一個無能的女童軍。

於是她吩咐大家四周圍查看一下。

Gi Gi 很難想像那個O，是在這樣的地方生活，麗港城那邊的單位，現在時價可能要六、七百萬元港幣，一個這麼富有的人，怎可能容忍這樣比臨時工寮還要差的環境，六、七百萬足夠到北歐買座中世紀古堡啦！

Gi Gi 進入床左邊的雜物房，那兒裝有浴缸和冰箱。大概是O的廚房和廁所。有人說到別人的家，只要看看他冰箱內放甚麼，就能知道他是甚麼性格。她很好奇的想知道這樣的一個頂級殺手，到底平日的飲食習慣是怎樣。

於是她伸手拉開冰箱門，誰知一看，冰箱裏只有冷溫而沒有 Gi Gi 預計的燈光，她馬上察覺內裏有一包物體，電線接上至冰箱的燈泡位置。

Gi Gi 馬上知道那是接上燈泡電源的炸藥，幸好雷管因爲長期處於低溫冷凍之下，因此爆炸延誤了兩、三秒。Gi Gi 瞬即向房外縱身一撲。

當鄭從走廊跑向那單位時，內裏突然傳出一下轟然巨響，石灰和煙馬上從大門處湧出。鄭心知不妙，於是急跑進去。

內裏一片模糊、濃煙掩蓋了視線。混亂中有兩、三名探員倒在地上，發出著沉痛的呻吟，部分還流著血，有一個不斷咳嗽和喘氣的探員東倒西歪地走到鄭錦富面前。

「發生甚麼事？」鄭緊張的問。

「Gi Gi 呂碰到炸彈……咳咳。」

「她在哪兒？」

「那邊。」探員指指雜物房那邊。

鄭跑過去。Gi Gi 伏在地上，一動也不動。似乎已昏迷了。

「Call 救護車呀。」鄭一面叫一面對 Gi Gi 進行急救。

「支持住呀，」鄭一面替 Gi Gi 作人工呼吸和心外壓，一面對她說。「別就這樣睡著呀！撐著呀！」

剛才爆炸的威力很猛烈，雜物房門口附近的牆都被炸得坍塌了，大部分受傷警員都是被爆裂出來的碎石打中，幸好 Gi Gi 能及時撲出，否則在內的話一定必死無疑。

在替她急救時，鄭錦富看到不遠處有一個倒下的鋼架，大概是被爆炸的衝力所推倒的。鋼架上掛著不少衣物，有深咖啡色的大風衣，也有酒店侍應制服和連身的工人裝。其中，還有幾款不同類別的警隊制服。

「Shit!」鄭不禁暗叫不妙了。

16 爲愛而冒險・去與留・從未察覺的愛意

在麗港城的單位內，阿雯感到體力透支，於是躺在沙發休息，茶几上還有放著她昨天的速食杯麵。

杯中的湯，已被麵吸乾了，並散發著一陣酸臭味。

雯用筷子夾著一小束的麵條，並靠向鼻子，但那股味道實在太剌鼻了，令她胃部產生了強烈的嘔吐感，迫得阿雯馬上把杯放下。

她在想，也許那個陳先生根本不會回來找她，他沒有必要向我解釋呀！

我算甚麼？只是一個他媽的兼職工人，他付錢給我替他看屋打掃罷了。

我算甚麼東西呀？

也許，他已經不在香港。偷渡到大陸或之類的地方去了。

不不不，他甚至可能已經不在人間，給仇家殺了吧？根本不可能回來跟她解釋甚麼。那只是她自己一廂情願的期望。自己只不過是屬於旺角時裝店售貨員的世界。

可是當阿雯感到心灰意冷，意興闌珊之際，她聽到門外走廊處有些微小的聲音，似乎有人在她的屋外。

阿雯感到氣憤，我的心情已經不大好啦！你這他媽的胖子又來找我麻煩嗎！我這次可不會這麼客氣了。

但突然她想到，會不會是昨天上來找O的那班人呢？一想到這她就感到惴惴不安，但為了了解情況，她還是鼓起了勇氣，打開了一線木門來查看。

一開門，雯赫然發現有兩個男人正要用鐵筆去撬她的鐵閘，後面還有幾個男人，分別拿著長槍和短槍。「你們找誰呀？」雯向他們問。

那兩個正要撬門的男子，被雯突如其來開了門的舉動嚇得怔了一下，一時間答不上話來。

「我們是警察，」片刻，阿琛馬上舉起手中的雷明登長槍指向門縫的阿雯，然後大喊。「小姐，我們現在要拘捕你！請你馬上舉起雙手，開門出來投降，否則我們就要攻進來啦！」

這幾天到底發生甚麼事？好像許多事都不能估計似的，阿雯已被搞到頭昏腦脹，她甚至無法分辨甚麼是真，甚麼是假？

不，甚至連左右也分辨不出了。

於是她回答了一個教門外警員都感到驚愕的答案。

「還不快走？信不信我報警抓你！」說著便砰一聲關上了門。

走廊上的人都呆住了，負責撬門的探員停了下來，回頭望著阿琛，等待著他的指示。

阿琛拿著槍，指向著已關上的大門。他也呆住了，在過去參與很多的行動中，也會遇上疑匪反抗或還火的，但卻並沒有遇上過如此的回應，因此剎那間顯得有點不知所措。

「爆門，我們攻進去。」阿琛想了片刻，馬上決定繼續撬門攻進去。

走廊上的探員個個萬分緊張，如箭在弦，疑匪發現了他們，槍戰極可能一觸即發。衆人的目光死盯著大門，一發現稍有異動，就會毫不猶疑向大閘木門掃射過去。

此時走廊的電梯門徐徐打開，走出一個穿著軍裝的警員。

穿軍裝上來幹嗎？阿琛正要轉頭問，赫然發現警員的臉有點似曾相識，還未來得及開口，警員直趨面前，手中的左輪已抵住了他的脖子。

那穿軍裝制服的，竟然是O。

他一旋足翻身，躲到阿琛的背後，另一手就拉著了那雷明登，壓在阿琛的胸膛，好讓他不能反抗。

「別亂動。」O在阿琛的耳邊道。

其他的探員，全都被O的突然出現嚇住，紛紛轉向指著他。

「全部退後。」O向他們命令著，但語氣卻像跟朋友打招呼般客氣。

探員爲了顧及阿琛的安全，因此不敢輕舉妄動，只得照他的意思，退開至後樓梯的出口處。

O挾持了阿琛，一步一步地走向那單位。

其實，自從O昨晚逃出了警署後，他沒有馬上遠走高飛，他甚至沒有離開觀塘區，他竟回到距離警署只有不足一千米距離的工廠大廈單位。

因為他知道這個秘密單位，是他最後的防線，最後的碉堡，就像希特勒在柏林的地下室。那兒是安全的，除了O之外，沒有一個人知道它的存在，即使親如七叔亦不知。否則他在給教宗迫供拷問時就供了出來。

因此他決定在那兒暫時躲起來，避免洩露風聲，不管托爾、教宗和警方，全都想幹掉他。本來，他還以為自己雖然面貌曝了光，但身份應該還沒有暴露，即使警方有了他的指紋，但由於並無案底，因此即使警方用電腦核對他的指紋，仍要花上極多的時間，當他們找到了他的真正身份時，O老早已上了船遠走高飛。

可是，當他從無線電截聽到警方的通訊，知道有大隊警員正監視著他在麗港城的單位時，O知道，一切都完了。

完了，他自哥哥死後一直努力地建立的保護系統，終於坍塌、崩潰了。警方已掌握到他的身份，不管是那他媽的陳浩然或馬志豪，他們全都掌握了。

系統失效了，即使能守住這單位亦毫無作用。城陷了，即使死守著碉堡也是無補於事的。大勢已去，根本無法挽回。已經休想賣掉那單位套取現金。他將淪為通緝犯，從此再無根的四處亡命、飄泊。

就像所有的職業殺手一樣。

O在悲慟之中，透過望遠鏡，看到阿雯用打蠟水塡平了近門口的那個深坑。

那坑是因為當日O懷刀趕到救 Maggie 時，看到她的屍體，一時激動，刀甩離手插進地板所造成的。

當他看到阿雯悉心地將它填平修補時，O不禁感動得簌簌淚下。

他終於明白，過去他一直老是保護自己，讓自己不受傷害。他所建立的甚麼生活哲學，就是要保障自己能自由地生存。

結果，他成功了。他可以令自己在不受傷害的情況下殺一個人；但卻不能在不受傷害的情況下愛一個人。

他的自私，當年間接令 Maggie 死去。這事令他一直內疚不已。

他已經犯錯，現在不能再如此錯下去。

昨天當他用那道具槍去救阿雯的時候，他終於知道自己愛上了她。愛情是必須冒險的，而冒險就意味了會受傷害，這是愛一個人的代價。

雖然冒險有違O的生活原則，但他願意去冒，也冒上了。

因此，他穿上了軍裝警員的制服，離開了那工廠大廈的單位。本來，他可以頭也不回地遠走高飛。可是，他選擇愛情，接受冒險。

他不惜一切要向阿雯表白。

關上了門後，阿雯顯得十分惘然，她不知道應該怎辦。突然，門鈴響了起來。

「走呀！」阿雯隔著門大叫。

「阿雯，是我呀！開門。」門外傳來回應。

雯聽出了這是O的聲音，於是馬上開啓木門和鐵閘，讓他退進來，O並把阿琛一併拉了進屋，然後關上了大門。

「怎麼啦？」阿雯感到莫名其妙。「到底發生甚麼事？」

「我不是說過會回來找你嗎？」

「嗯，但，這個人是誰？」雯指著琛。「那門外的人又是誰？」

「他們是警察，是來捉我的。你先拿著這個吧！」O將壓在阿琛胸口的雷明登遞了給阿雯，並探手到琛的槍袋，拿出了他的佩槍，快速上彈器和散彈子彈。

阿雯拿著長槍問O：「那這次的槍是眞的嗎？」

「嗯哼。」O點點頭，一面搜阿琛的身。

「你到底搞甚麼鬼？你何不出去投降，告訴他們，你昨天是因爲救我才這樣跟他們打起來嘛。而且，你那枝只是玩具槍……」

「聽我說，」O叫住了她。「事情不是這麼簡單的，我其實是個刺客。」

「刺客？」

「對。就是受人金錢而去殺人的那些……」

「你別這樣侮辱人家嘛，」阿雯有點不滿。「我還懂得刺客一詞的意思。」

「外面的警察是來拘捕我的。」

「那你還回來幹嗎呀？」

「我是回來告訴你一件事的。」

「嗯，甚麼？」

「那是……」O顯得有點猶疑不決。

「到底是甚麼啊？」

「其實……」O停了一會後說。「我不想……失去你……我想我愛上了你。」

「嗯哼？眞的？」

突然間，隔著架空天橋的工廠大廈那邊單位，傳來了一聲轟然巨響，濃煙從窗戶中冒出，似乎發生了爆炸。

巨響令O稍一分神，阿琛便趁此機會，手肘用力向後一揮，擊中O的鼻樑，O踣踉一摔，手上的槍跌到地上。

阿琛見機不可失，第一時間躍身撲去拾起槍。而O亦從腰間拔出剛才從琛身上搜出的手槍，二人躺在地上順勢一翻，阿琛壓住了O的手，用槍指著他的額。

「放下槍。」阿琛命令O。

「嗯哼。」O搖搖頭。

「我說放下槍！」阿琛厲聲地說。

突然，他感到太陽穴處傳來了金屬的冰冷感。阿雯正站在他後面，用槍指向著他。

「小姐！」阿琛嘗試向雯解釋。「大概你不知道自己在做甚麼？他是個殺了許多人的危險人物，你協助他就會成爲同黨，那樣罪很大的。你下半生將要在監獄中度過的。你要想清楚，別……」

「謝謝你的提醒，」阿雯用力將槍嘴向葉念琛的頭部施壓。「但我現在還是想自己決定自己的命運，不用陌生人替我操心。現在，你先放下槍！快！走火你別怪我呀！」

於是阿琛只好放下了手中的槍。O是再次制服他了。

「喂，你還未回答剛才那問題呀！」阿雯問O。

「嗯，甚麼問題？」

「那是，你剛才說你捨不得我……和喜歡我，我問你，那是眞的嗎？」阿雯帶點尷尬地問。

「對。」O點點頭。「那你願意跟我一起嗎？」跟著轉向阿琛說。「喏，讓我跟你說清楚，這事跟這小姐無關。你們別難爲她，所有的案也是我一個人幹的，她只是我請回來替我打掃的，她對我的事根本毫不知情。OK？」

「現在，阿雯。」O轉向她。「如果你不願意跟我走的話，你可留下，他們不會對你怎樣。但如果你願意的話，就現在跟我一起走。但我不會勉強你，一切由你自己來決定吧。」

「不用決定。」阿雯告訴O。「在剛才那一刻，我已清楚決定了。這位阿 Sir 不是最清楚了嗎？」

「哼。」阿琛悶哼了一聲。

「喂。我是鄭錦富。你們有沒有人收到？這邊疑匪的住所有很多警察制服，他很可能假扮成警察！小心啊！」阿琛的無線電對講機傳來了這樣的呼喚。

O把手中的槍揚了揚，示意阿琛回答。於是阿琛只得無奈地拿起無線電回答：「已經知道了，他就在這裏。」

「甚麼？」鄭大叫。

O於是接過了無線電。並跟阿雯說。「怎樣？準備好了上路沒有？我們可不能留得太久。」

「OK。」阿雯揹著她的小背囊。然用力拉動雷明登的槍膛，一顆散彈子彈從退膛口處跳了出來。

「嗯？」阿雯驚訝地叫。

「除非開槍和槍膛內沒子彈，」O告訴她。「否則不用拉動那兒的。」

「是嗎？嘻！」阿雯說著咋咋舌。

臨行前，O想起了一件事：「啊，你可不可以到我床頭的抽屜裏拿一個黑色 Walkman 呀？」

「好的。」

於是阿雯跑到了房內，照O的話找到了那隨身聽，跟著塞進小背囊中。

O挾持了阿琛，臨行O回看了那屋最後一眼，跟他過去一直努力建立的虛構世界道別，跟著走出門口。

「你們還是投降吧，這樣根本是逃不掉的。外面有近百個警察啊！」阿琛跟他說。

「不必操心，你只管走就可以。」

鄭知道事態的嚴重，他在工廠大廈單位內，用望遠鏡看過去，發現O和那女子都在屋內，

而阿琛則被挾持住。

於是鄭吩咐部分探員留下照顧傷者。其餘人馬上隨他跑往麗港城大廈，在大堂準備圍捕O。

眾人在大廈大堂和外面的花園找尋掩護物躲起來，槍全都瞄準著大堂的電梯出口。

「情況怎樣？」鄭問著在電錶箱後的鏘仔。

「嫌犯和女人挾持了阿琛。現正下來。」他告訴鄭錦富。「他用的好像是昨天警署被殺員警的佩槍。另外他搶了阿琛的佩槍……還有一枝870①，十發彈。」

「幹。」鄭馬上咒罵著。「吩咐其他員警，要顧及人質，沒我命令不得開火。」

大廳電梯的燈亮起了，示意電梯已到達，各人進入最高的戒備。

電梯門以緩慢的速度打開，阿琛的臉孔首先在夾縫中出現。

O抽著阿琛的頭髮，並用槍頂他的下顎，他的手被手銬反扣在背後，O躲在他的後面，而阿雯則手持雷明登在旁掩護著。

「你懂得用這個嗎？」O對雯是否眞的能用那槍感到很懷疑。

「放心，我最喜歡的電影導演是吳宇森呢！」阿雯自信地說。

O看到大堂和大門有數十名警員在埋伏著，於是他緊緊地抽著阿琛，碎步而出。一直走向大門口。

鄭錦富此時從電錶箱後一躍而出，鏘仔拉也拉他不著。鄭走到O和阿雯的面前，用槍指向O。

「陳浩然，放下槍。」鄭錦富喝令著。「你無路可走了，現在有數十枝槍指著你。你隨時會沒命的，識趣的話就現在放下槍投降吧。」

「你就是鄭錦富嗎？」O喃喃地說，「我聽過不少有關你的事。」

「彼此彼此吧，聽我說，你殺了這麼多人，昨天還在警署幹掉了一個員警，現在三萬多的警員也巴不得亂槍把你打死。你看你還逃得去哪裏？」

「不是每吋地方都是香港警察管轄的。」O一面說，一面慢慢步出。「告訴你鄭Sir，昨天我眞的不想幹掉那CID，可是實在迫不得已。不要逼我今天再多幹掉一個警察。」

「你今天已在那邊幹掉了警察呀！」鄭指著工廠大廈那邊。

「那是意外，我不想的。」

「你放下槍投降吧！」鄭錦富勸他。「我不想打死你。」

「我也不想打死這小朋友。」O用槍指指阿琛。「他的身手挺敏捷呢！」

「鄭Sir，不用理我，開槍轟爛他！」阿琛側著頭說。

「喂，你說甚麼？」阿雯罵他。

「噢，還很有犧牲精神呢！」O冷笑著說。

可是鄭錦富等人為了顧及阿琛，難免會投鼠忌器，本來，他曾考慮向阿雯開槍，但他了解如果阿雯中槍，O會毫不猶疑地射殺阿琛，因此鄭只得放棄此念頭。

於是O和阿雯一直挾持著阿琛，走出了大廈，十數名探員只得亦步亦趨地包圍著他。

三人一直退至馬路旁。

「你先去截輛車回來。」O吩咐阿雯。

於是她跨過了花槽，跑到馬路當中，正有一輛白色的房車經過。阿雯舉槍指向那車。

「停車！」阿雯叫起來。

那司機被這突然衝出馬路的持槍女子嚇呆了，於是馬上剎停了車。

阿雯打開車門，拉出那司機。那司機看似很面善，誰知定眼一看，阿雯馬上認出，他正是住在麗港城單位隔鄰，經常投訴她製造噪音的那討厭胖子。

「咦，是……你？」胖子戰戰兢兢地道。

「那又怎樣呀？」阿雯轉頭向O叫。「喂，找到車啦！」

於是O挾著阿琛走過來，其他警員只得緊隨，但卻不敢輕舉妄動。

「告訴你，死胖子。」阿雯用槍指著那胖子。「這是我的男朋友，你別每次趁他不在家時才欺負我。從今起你大可耳根清靜了。」

「要走了。」O一面挾著阿琛，一面打開車門。他用槍指著阿琛的背，要他站著不動，然後坐於駕駛座內。其他人見阿琛仍在他的要脅之下，因此不敢開槍。阿雯也跟著上了車。

「喂，這車是你的嗎？」阿雯問那胖子。

他已被嚇得面無人色，只舉著雙手不停顫抖，口中斷斷續續喃喃道：「……嗯……是……是啊。」

「嗯，但將不再是啦。」她告訴他。

O一踩油門，房車迅速開動，在前的員警紛紛跳回行人道閃避，更向房車射擊，打碎了房車的車窗和擋風玻璃。可是仍讓它絕塵而去。於是探員們只好馬上解開阿琛背後的手銬。

「Shit。」鄭錦富叫了一聲。

此時鏘仔駕著車駛到，並且叫著：「鄭Sir！這邊呀！」

於是二人馬上開車追截。

「總部，我是O記鄭錦富，疑犯現正駕白色房車，由麗港城沿偉業街向機場方向駛去，車牌是FU2788。照我說的做，叫環頭各員警及駕駛機車的員警，全部趕往觀塘道落橋位，疑犯極有可能轉出觀塘道，再向龍翔道方向逃走。聽著：十五秒後我要東九龍全部亮紅燈，一律長紅。」鄭用手提電話通知總部。

「甚麼？整個東九龍？」

「別問那麼多，照做呀！」鄭激動地大喝著。

白色房車在夜色中高速飛馳，不斷地超越和穿揷車輛，令它們看似是停頓在路上似的。可是一超越了一輛車，片刻鄭的車就從後視鏡冒了出來。

「他們還在追呢！」阿雯轉頭問O。「我們能逃脫嗎？」

「放心好了。」他告訴她。

O駕著車，直飆向觀塘天橋。

「BINGO!」鄭錦富叫了起來。並讓鏘仔加速追上他。

鄭在麗港城的馬路旁向O的車開了三槍。雖然槍內仍有子彈，但鄭爲免一會兒情況危急，因此也退出了左輪彈巢中的空彈殼，馬上補上子彈。

O正打算向龍翔道方向逃去，可是當他駕著車從觀塘天橋轉下龍翔道時，他看到橋口已有五、六名交通警察在嚴陣以待，兩輛警車也橫攔於橋口，阻著他的去路。

「有警察呀！」阿雯指著前面大叫。

「坐穩。」

O並沒有減速，只是一味的加速，完全無視於前面的警車。交通警員遠看不對頭，於是狼狽地閃避。

O的車就像極速的棒球，猛力地撞開那輛橫躺在路口的警車，那車被撞得彈開，並旋轉了數圈、橋口的路障給O這樣的一撞，撞出了一條出路。

但那輛旋轉的警車停下時，却擋住了鄭錦富們的去路。

「啊？鄭 Sir，怎麼辦呀？」鏘仔在尖叫。

「加速，衝過去。」

於是鏘仔踩盡了油門，直撞向那車，企圖把它撞開。鄭錦富見情況不對，還來不及制止。他們就直撞向那輛車。

幸好二人均有扣上安全帶。否則就肯定一命嗚呼。

鏘仔駕駛的車，車頭撞得全毀了，半嵌入那車的車廂中。鏘仔緊握方向盤，一副驚惶未定的樣子，好像不明白爲何不能像O般把車撞開。

「要車角撞車軸呀！」鄭激動地對他大罵。「你連這個都不知道，還能做警察嗎？」

鄭大力踢著車門洩憤。昨天是自己遲來一步讓他逃脫。

可是今天，却是眼睜睜地目送他走。他就在咫尺距離，甚至近得可伸手接觸，但最後，他也溜掉了。

鄭錦富激動得渾身發抖，鏘仔只是呆在車內，不知所措。而在場的警員，沒有一個敢上前勸阻他，只由得鄭不斷猛力踢向車門。

在加護病房內，各式喉管接駁到 Gi Gi 身上。她躺在病床上，旁邊還有鹽水吊架和各類儀器。由於情況還不穩定，因此必須完全隔離。她的同事和家人都只能隔著玻璃在走廊觀察她。

她母親更是蹲在走廊中嚎哭起來。其餘的家人都圍過來安慰她。

此時鄭錦富到來。阿琛及其他探員見他到來，都走過去用壓低了的聲音來打招呼。

「有一個 CID 死了，我們的弟兄有三個受傷，大難華及馬田沒有大礙，只有 Gi Gi 還未度過危險期。醫生說她的大腦受到嚴重震盪，現在仍昏迷呢！」阿琛向鄭報告。

「唉。」

「Sir，O……走掉了？」

「交通部控制中心要差不多四分鐘才可能叫所有的交通號誌亮紅燈。那有屁用嗎？他老早就出了東九龍啦！」鄭說。

此時，老淚縱橫的 Gi Gi 母親撲到鄭錦富的面前，死拉著鄭的衣袖，顯得十分激動。

「嗚哇……鄭 Sir。阿琪跟你做事的，怎麼……嗚，怎麼會弄得這個樣子……我只有她這個女兒萬一，嗚……」

「伯母，你先不要難過。」鄭蹲下扶起了她。「你的女兒很勇敢，她是第一個發現匪徒匿藏地點的。她很勇敢，相信我，她會沒事的。」

「嗚……我，我不是老早就跟阿琪說過不要考警察的嗎……護士做得好端端又不幹……叫她申請內勤又不聽，嗚……女孩子家拿著槍……嗚嗚……」

Gi Gi 的家人將她母親扶開了，鄭感到有一種無力感，正包圍著他，他害怕見到受傷或殉職下屬的家人。每當見到他們，自己總有著一份罪疚感。他們是自己領導的，人家交了兒女給你，自己却令他們流血。

這感覺令他很不好受，他會盡量避免遇上他們。因爲他明白，即使自己講上多麼情眞意切的安慰、問候語，那也是完全無補於事的，他們的兒女仍是躺在儀器旁。

鄭無奈地坐到走廊的長椅上，沒有理會牆上的告示，掏出了一根香煙來抽。阿琛就坐在他的旁邊。

「唉，」鄭呼了一口煙之後喃喃地道。「其實我已叫她不要碰所有東西了。」

「鄭 Sir，我不知該怎麼說。」阿琛沉思了一會之後說。「其實，你到底知不知道呢？」

「嗯？知道甚麼？」

「哼，你果然不知道。」阿琛笑了一笑。「其他同事全都知道，Gi Gi 是喜歡你的。」

「甚麼？別亂說吧。哪有這事？」

「她一直努力嘗試在你面前爭取好的表現。難道你眞的認爲她是這般勤勞、疾惡如仇嗎？她只不過在討好你，讓你留意她。」阿琛告訴他。

「不可能吧……哪會有這樣的事。如果是，我也會感覺到的。那只不過是你們胡扯吧。」

「當然不是唷！」阿琛說。「那是你根本沒有留意她啊。連證物部的同事都知道啦。」

「但怎麼從沒有人告訴過我？」

「哼，算了吧。除了查案外，你根本甚麼事都沒有關心。」

「嗯？」

「我問你。」阿琛點上了一枝煙。「我們B隊隊員的事，你知道多少？Gi Gi前兩個星期剛過生日，你知不知道？」

「……這，我怎麼可能知道呀？她又沒有告訴我。」

「不，她有。她當著我們面前問你是否一起去燒烤的。但你根本沒有用心聽，想也沒想過就拒絕了她。這些我們是看到的。你知她那晚結果說了不到十句話呢！」

「甚麼？」鄭錦富感到震驚，因爲他根本記不起曾發生過這事。要不是阿琛提起，他丁點兒的印象也沒有。

「其實不單Gi Gi，你連我們也沒怎麼留意過。」

「嗯哼？」

「你知道嗎？我們Happy Hour上酒吧。你從沒有試過一起去。在你眼中，只有那些案件。也許O對你來說，比我們這些兄弟還要重要。」

「……」鄭感到無言以對。

「說眞的。」阿琛深深地抽了一口煙。「剛才我眞的有害怕。」

「嗯？」

「我不是怕O開槍，我是怕你會開槍打死我，令O不再有人質在手。」他作出了一個苦澀的乾笑。「幸好你最後也沒有開槍」。

「其實Gi Gi並不是眞的如此投入，她只是想表現出來給你看。你記得那天，你說托爾模仿著《T2》和《Siege》的劇情時，第二天我就在她桌上看到這兩盒影帶。原來她當晚一聽過你說後，就跑到了 KPS 店租了來看。」

「這些，你大概從沒留意吧。」阿琛說著站起來，走到了伯母的那邊。

「對，你說得對。」鄭用手按著太陽穴無力地道。「我一直都沒有留意。」

在悲哭聲、電話聲和記者的鎂光鏡閃動聲中，鄭錦富感到一種凜冽的悲酸，一直用指頭透過皮膚滲透至頭骨、大腦之內。沿著神經一直傳到鼻子、嘴巴，甚至整個頭顱，然後繼續慢慢蠶食他的軀體。

直至許久，鄭才能察覺出是淚水的味道。

註解

㈠ 870：即雷明登 M-870 型散彈槍簡稱。爲警隊衝鋒車上的標準配備。

17 佳城之夜・倉皇辭別再上路・石碑上的隨身聽

O和阿雯擺脫了鄭錦富後，不斷地換車、轉車逃亡，藉此讓警方無法追查他所駕駛之車輛。

此刻二人坐於一輛客貨車內，一直沿著公路，向未知的前方行進。

雖然O沒有說出口，但他的內心，却有一點兒的徬徨，在過去的這幾年，O一直活在自己努力經營的「正常生活」中，安逸地過活，可是此刻他却像個脫軌衛星，向未知的黑暗飄去，不但飄泊，還要面對警方通緝、集團的追殺，也許對其他刺客來說逃亡只是家常便飯，但對O來說，這是前所未有的，因此難免會感到惴惴不安。

相反，阿雯就一臉輕鬆，只顧看著車外風景。心情彷彿如正要駕車出席好友生日會似的。

「我們今晚共換了多少輛車？」阿雯突然想起了點東西，於是轉過來問O。

「不記得，大概六、七部吧。」

「嗯哼，」阿雯點點頭。「想不到一晚來竟坐了這麼多部車。不知警察是不是仍在找我們呢？」

「嗯，怎麼啦？你怕麼？」O一面將車轉入小路一面問。

「怕甚麼？我們不是已經是拍檔了嗎？你別小看我喲！」她挺自信的告訴O。

「嗯哼。」O一面點頭附和著，突然，他想起了一事：「喂，那支雷明登呢？」

阿雯被他這樣一問，馬上想起，剛才逃離麗港城時，自己手中不是握著一枝散彈槍的嗎？可是環顧身邊卻不見影踪，她看看後座也不見。那枝雷明登就這樣不翼而飛了。

「不，讓我想想，」阿雯努力回憶著剛才的過程。「……我們在九華徑偷那輛賓士車時，我帶上車的……」

O只是無奈地搖頭。

「不……不是這樣，那時好像已不在我的手中……讓我想淸楚……嗯，我先前第一次轉車時，不是交了給你拿著嗎？我記得好像是這樣呀！」

O沒氣力回應，只得苦笑。

「怎麼啦！你這樣笑算是怪責我嗎？」

「不，我哪敢怪責你，也不敢小看你，不過……」

「不過甚麼？」

「沒甚麼？你確是了不起的拍檔呢！」

「哼。」阿雯對他的埋怨嗤之以鼻。

O要明天晚上才下船，因此他必須要找個地方匿藏起來，自己的秘密單位已經曝了光，而且他知道集團很有可能派人監視著七叔，因此他不能去找他，免得行踪暴露。

可是他却不可能不停在路上徘徊，這樣極可能遇上警方的路障，加上阿雯遺失了那雷明登散彈槍，O現有的火力，甚至不足以突破一個路障。

於是，他決定駕車到媚姨的墳場，那兒會較爲安全。

「媚姨。」

「怎麼啦？我不習慣處理活的。」媚姨看到O背後的女孩不禁感到有點詫異。

「我們想在此過一晚。」O跟她說。

「進來再說吧。」

O簡單地把情況向媚姨交待，她也懂得行規，沒有再追問下去。爲免有人來訪發現，她自己繼續睡在管理員的小屋，而O和阿雯就安頓於隔鄰不遠，用作撿骨的小石屋。

O從口袋中拿出了一束千元鈔票，塞在她的手中。「就當是借宿費吧。」

這晚，墳場上颳起凜凜寒風，像交響樂團般響遍整個山頭。阿雯躺在石屋內，感到如芒在刺的不安，不單是爲了風聲，還有屋內所堆滿的骸骨。十足在CNN新聞中看到的柬埔寨歷史博物館一樣。到處都是頭骨。但最可怕的是近門口處放著的一排金塔，像被掘了出來不久，內就盛著一副有待刮肉磨骨的屍骸。正散發著陣陣屍體的腐臭。

阿雯連想也沒想過在生前會到這些地方，遑論叫她入睡呢！於是她只得毛骨悚然地躺著。

相反，O却沒有半點睡意，他老是出出入入，從石屋附近的工地拾了些鐵絲、鐵釘之類的東西回來。

「你在幹甚麼？」阿雯躺著問O。

「做勞作。」O背著她，頭也不回地回答。

阿雯於是靠上前，看到O把口袋中，四發早前在探員身上搜出的後備散彈子彈拿出來。那是SG（OO BUCK）子彈，亦即俗稱的十二號零零彈。每顆子彈內均有九枚鉛珠，每次發射時就會彷彿同時射出九槍。O知道它的威力強勁，因此槍枝被「拍檔」遺失了，但這幾顆後備子彈還能加以利用的。

於是，他用刀分別把子彈頂部的膠殼撬開，在每顆子彈內取出其中一粒鉛珠。然後再用剛才在外面工具箱中找來的一支白膠漿塗上去，令內裏的鉛珠不致掉出來。

跟著，他用鐵絲把四顆子彈平行地捲起來。並在子彈的縫隙間塞入了許多他在工地處拾回來的生鏽鐵釘。

O把鐵絲繞到散彈膠殼頂部，然在那兒綁上兩條大概從膠袋處剪下來的膠條。

最後，他用白膠漿把那取出的鉛珠，固定在散彈底部銅帽的推擊引信上。

「這是甚麼？」阿雯好奇地問道。

「這是個自製手榴彈。」O向她解釋著。「這兩條膠帶，是用作定風的尾翼，你使用時，要抽著膠帶，向牆壁或硬地擲出去。這樣，銅帽這邊就會先觸地。」

「底部鉛珠一受壓，就會引爆四顆子彈。於是，內裏的鉛珠和鐵釘就會迸爆出來。但別在太近處引爆，免得傷到自己。」

「嗯。嘩！」阿雯點點頭。

「我要你把它裝好，隨身攜帶，有事時可保護到自己。」

「有你不就可以了嗎？」

「我不可能廿四小時都照顧你的，你必須學懂保護自己。」O告訴她。

「那，這算是訂情信物嗎？」

「記著。」O認真地說著。「別在太近處引爆。」

在這個晚上，O把自己的真正身份和有關工廠單位的事，詳細地告訴了阿雯。她似乎對於刺客的罪行不大感到噁心，反而對有關O的刺客生活很感興趣。並問了許多問題。

「那你一直這樣，每晚都在那邊看我嗎？」

「只要沒有工作時就是。」

「嗯，那有看我小便嗎？」

「啊？」

「我小便呀！」阿雯問他。「你有看嗎？」

「角度問題，我通常只看到你進入廁所。」

「喲！多變態呢！」阿雯作了一個鄙視的表情。「那你當殺手……」

「刺客。」O糾正她。

「嗯？甚麼？」

「是刺客，不是殺手。」

「殺手？刺客？沒有分別呢！」阿雯提出疑問。

「是有分別的。殺手可以是連環殺手，變態殺手。或是無目的隨便嗜殺的瘋子，但我是一個刺客，這是我的生意，我並不喜歡隨便殺人，殺人不過是爲了生活。」

「……，新聞上說那個在警署被殺的警察……」

「我不想的。」O眼神帶點無奈地說。「但沒辦法。由不得我。」

確實，那刻眞的由不得O去選擇，正如當年他在酒店中殺白志堅一樣。

阿雯見他神情凝重，似乎不大想提起的樣子，因此只好轉變話題：「呀，你知道嗎，跟你一起時，生活好像多姿多采似的。」

「嗯？」

「不是嗎？」阿雯告訴他。「昨天我給幾個大漢挾持，你就拿假槍來救我。跟著今天就給數十個警察圍捕，我就跟你一起挾持警察作人質，然後搶車逃走。你知道嗎，在這之前，我犯過最嚴重的事，也不過是破壞公物。」

「嗯？」

「我故意拉斷地鐵車廂中的扶手，打算拿回家做紀念，誰知被站內的職員攔住，結果罰了五百元。」

「哼。活該的。」

「說到哪裏呢！」阿雯又再想起。「噢，是啊。現在呢，就在這樣這麼多屍骸處過夜。天曉得還會有甚麼稀奇的事。」

「不，只要我們離開了香港，我們就去些沒有戰爭、沒有動亂的國家。去過些真正安定、平靜的生活。我們會擁有一間屋，喜歡睡到甚麼時候都可以，不會有人擾騷。我可以喝可樂、高興時也許抽根煙之類。而你呢，也可繼續在客廳中含著水扮潛水。」

「喲！你偷看人家呢！」阿雯打了O一下。

過了一會，阿雯又想起另一問題：「喂。我問你呀！」

「甚麼？」

「你當殺手時……」

「刺客。」O告訴她。

「只有你這怪人才會在意呢！」阿雯反駁他。「我想問你呀，你在當刺客的日子，有喜歡過誰嗎？」

「有。」O點點頭。

「誰?是目標的女孩嗎?」

「別這麼戲劇性。她不是目標,只是一個來替我打掃的大專生。」

「那就跟我一樣嘛。」阿雯說:「那你又是躲在一角偷看她,而暗戀上她嗎?」

「唔。」

「哈,多麼笨呢?那你最後怎樣去跟她表白?又是拿假槍去救她?」

「不,我結果也沒有跟她說。」O告訴阿雯。「因爲她死了。」

「噢……對不起。」

「不,你沒有甚麼需要對不起。只是我對不起她而已,是我間接害死她的。」

O跟著沒有再說下去,於是二人就繼續沉默。

阿雯不知不覺的睡著了,這點連她自己都感到意外。但令她更詫異的,是她已再沒有在睡夢中流淚,那是多教人安慰。

她環視四周,卻不見O的踪影,於是她伸了伸懶腰,站起來。在木枱上睡覺令她感到腰酸背痛。

阿雯從背囊中拿出一把 Body Shop 的木梳子,打算整理一下頭髮。可是她摸摸背囊,發現O那黑色的隨身聽却不見了。

這下糟了。雯心慌起來，自己又遺失了他的隨身聽，那可又要受那傢伙的諷刺了，她討厭人家的話中有刺。不過，她仔細一想，好像昨晚自己把它塞在背囊後，就一直沒有拿出來過，那又怎可能會遺失呢？

而且剛才自己在打開背囊時，那套索的繩好像有人解開過似的，因此她想，也許是O在她睡著時拿了出來。

其實昨天阿雯心中一直有個疑問，可是一直找不著機會開口。那就是到底那隨身聽是否屬於那女孩的呢，O是不是心裏仍很在意她。

阿雯感到有點慚愧，自己好像在吃一個死人的醋，可是她就是控制不了自己這樣啊。爲甚麼在昨晚這樣緊張的情況下，他還要在意那隨身聽呢！

阿雯走出了石屋，本來她想去媚姨的小屋找他。可是卻看到在山坡的墓碑處，隱約有著O的身影，於是她跑到墳場的山上。

阿雯走過去，O正蹲在一個墓碑面前，一手按著石碑。她留心一看，他的手中就拿著那部隨身聽，放在石碑之上。

難道這就是那女孩嗎？在好奇心的驅使下，阿雯悄悄地靠上前。

可是在石碑上的照片，却是一個老年人的。並非阿雯猜想的女孩。

「嗯，你來了？」O轉過頭來說。「對啊，我介紹你認識吧。」

「……世伯嗎？」

「不，她就是我昨晚提起的女孩Maggie。」

「甚麼，這個……」

「對，」O點點頭，跟著轉向那墓碑。「她就是葬在這個墓之下，除了我，沒有人知道她葬於此，甚至沒有人知道她已死。」

「Maggie，這就是阿雯。」O對著那墓碑說。「今晚我就要跟她一起離開這兒，大概再也不會回來。」

「這個Walkman，是你的，我一直留在麗港城，今天，我想拿回來還給你。」

「我……我只是想告訴你……我的原名是叫做馬志豪，有一個哥哥，叫馬志輝。我歡喜吃上海菜……小籠包……銀芽炒鱔糊之類，我……」

「我生活得很好……要走了。」O哽咽著。淚水差點忍不住流出來。

阿雯站在旁邊，她感到有點奇怪。好像陪自己的男友來拜祭前任女友似的，可是她真的無法將石碑上的照片，想成Maggie的模樣，就像吃了一顆話梅，你怎麼也不能說服自己的味蕾那是如蜜般甜。

O垂頭不語，只是把隨身聽的音量轉至最高，然後按下了PLAY的鍵鈕。Mariah Carey《Without You》微弱的歌聲，透過耳機的喇叭淡淡地瀰漫於墓地之間。

……only fair that I should……

……live, if living is……

……anymore……

阿雯總是斷斷續續地聽到了一點歌詞。她嘗試聚精會神的凝視著那石碑上的老伯照片，看看能否看穿它，看到背後的 Maggie，就像那些從 3-D 立體畫中浮現出來的影像一樣。

可是不管她如何努力，仍舊無法看透那石碑上的照片，老頭仍是老頭。沒有影像浮現，只是徒增了眼睛的倦意。

於是阿雯脫下眼鏡，用手揉著眼睛。

突然，O從悲淒的歌聲中，感到了一股突如其來的硫磺味，這不是屬於警察的，因爲只有幫會中人經常不習慣清潔槍枝，因此槍械發射過後總留著濃烈的硫磺味，一般人也許並未查覺。但作爲刺客，O對這格外敏感。

三三兩兩的身影，正在墓碑後不斷穿揷，接近。O不動聲息，也不回頭，只是以歉疚的表情望著墓碑，然後兩手悄悄地伸進外套之內。握住了雙槍。

漸漸地，他感到有兩條人影在背後逐步迫近。當兩個大漢從後排的墓碑處冒出，正要舉槍指向O的後腦時，O的外套兩側突然各爆開一個大洞，兩顆子彈穿過了外套激射而出，原來O雙手握槍向背後發射。

兩個大漢應聲而倒，其餘六、七人見行踪敗露，於是紛紛從四方冒出，舉槍狂掃向目標。

O一手摟著阿雯撲到後排墓碑，另一手向四方還火，正在揉眼的阿雯還未弄清發生何事，就被O拉走了，混亂間眼鏡掉在 Maggie 的墓旁。

「眼鏡……」阿雯想伸手去拾，但幸好O攔著她。一排子彈狂射過來把眼鏡打得粉碎。

「走吧。」O拉著她，踏過了那兩個大漢的血，O拾起了兩枝機槍，遞了一枝給阿雯。自己就不斷朝後面射擊。但對方火力太猛，O和雯只得且戰且走。

「怎麼他們會找到來？」阿雯躲在O背後問。

「是媚姨。」O眞的有點意外。「想不到她會爲那筆賞金而出賣我？你懂得用這槍嗎？」

「……我想我懂吧。」

「那我說一二三，就一起往車子那邊走，你朝後面開槍就行了。OK？準備。一、二、三！」

二人衝出墓碑，向停著昨晚那客貨車的草叢處跑去，無情的子彈從四方八面打來，石碑被打得爆出碎石，O帶著雯左衝右突，不時向後還擊數槍，有兩、三個大漢被擊斃。

阿雯亦嘗試開槍掩護逃走，可是她一扣動扳機。火舌從槍嘴處迸射而出，強烈的後座力把槍身抽了向天，阿雯根本無法壓得住槍身。她被這突然的震動嚇得大叫起來。

O只得抱著她狂奔，一直跑上客貨車。

「嘩噢。」阿雯驚嘆。「那是我第一次開眞的槍呢！」

「嗯，怎麼啦！你不是說最愛看吳宇森的電影嗎？怎麼連開槍也不會？」O一面啓動引擎一面問。

「我也喜歡看《Top Gun》呢，難道我就懂得駕戰機嗎？」阿雯反駁他。

O沒空回答她，一踩油門，客貨車便絕塵而去。

雖然鄭錦富昨晚一直待在醫院，除了要打聽Gi Gi的病情外，還得錄口供，因此只在走廊的長椅上半臥半睡了一個多小時，但當他一收到消息，也馬上趕來墳場。雖然醫生說Gi Gi已度過了危險期。

現場的警員告訴鄭，是附近村屋的居民聽到了槍聲報警的，他們還認出其中駕車逃走的，似乎是昨天觀塘挾持人質事件中的逃犯。

當警察到來時，疑匪早已逃之夭夭。山坡的墓地處有四個身份不明的男子屍體，都是被擊斃的。地上還留著一把密林航空曲尺和一把AK-47自動步槍。

現場佈滿了彈殼，相信曾發生激烈槍戰。

除此之外，警員還發現了一個年約五十，右眼瞎了的女傷者，她是墳場的管理員，她被發現下腹中了兩槍，躺臥於管理員的小石屋內。

鄭趕到時，醫護人員正要把她抬上救護車。

「告訴我，」鄭拉著媚姨問。「O是否來過，他要去哪裏？大陸？台灣？菲律賓？在哪兒上船？」

「阿Sir……」救護員正要扶媚姨上車，可是被鄭所阻。

「喲哎……」她躺在擔架上，很費勁地才吸了一口氣。「我……真是蠢啊……和O一樣，太易信人。我以爲他們眞的會給我賞金呢……眞傻。」

鄭錦富從石碑上看到了那部隨身聽，當中的帶子仍播放著，鄭聽到那是《Without You》。地上還有一副像是昨天那女孩所佩帶的眼鏡，但斷成數截。

據阿琛所說，昨晚他們臨離開這單位時，O曾吩咐那女孩到房內取回一部黑色的隨身聽。鄭想，大概就是這部。

從這兒的彈穴來判斷，鄭相信O和女孩是在這兒遇到襲擊的，於是還擊射殺了後面兩個大漢，再沿著此路下山，期間又擊斃了兩個追上來的殺手，跟著跑到空地處駕車逃走。可是，既然那隨身聽對O來說這麼重要，即使逃亡時都不忘拿走，可是卻爲何放於此呢？似乎，O來這兒的目的，並非只爲匿藏這麼簡單。這個墳墓似乎對他有著特別的意義。到底這個墳碑上的老伯是誰呢？從逝世日期得知，他大概是一年前死去的。會是O的目標嗎？親人？還是其他？

鄭蹲在墓前，仔細打量，鄭發覺在此位置，那從隨身聽耳機處發出的歌聲會聽得更淸楚。他可以想像，O在槍林彈雨中，這音樂是如何漸漸的離他遠去。鄭錦富把身體靠向墓碑，並用額頭貼著石碑，嘗試感受一下它的冰冷涼意。

其他軍裝警員對鄭這舉動感到莫名其妙。只是在旁的阿琛和鏘仔則見怪不怪，在他們眼中，早已對鄭這類奇怪舉動習以爲常，他經常都會做出些難以捉摸的事。

突然，一道靈光在鄭的腦內一閃而過。於是他抬起了頭告訴鏘仔和阿琛：「找人來，掘開這墓。」

「嗯，你說甚麼？」雖然聽得很清楚，但阿琛還是再問鄭一次。

「我要掘開這個墓穴看看。」

「那你期望這墓內會是甚麼？」鏘仔問。

「不知道，」鄭錦富站起來說：「可能只有一副普通棺材，也可能不是，天曉得。O這傢伙是一個逆思考的人，他的住所在麗港城，但並不代表他是住麗港城，因此，這墳墓亦有可能不是墳墓，與其猜想這是甚麼，不如掘開它看看吧。他逃亡也要拿這Walkman，那就代表事情並不簡單。」

「Sir，要通知一下死者家屬嗎？如果他們知道了，會投訴我們的呢！」在旁的一個軍裝警員突然插嘴，提出這樣的疑問。

「先生，」鄭用很嚴肅的聲音反問他。「你是不是有病嘛？」

18 爲生存而出賣．戰壕中的領悟．還手

客貨車在高速公路上穿梭，O雙手握住駕駛盤，眼睛却看著行車線外更遠的事。

他感到震驚，想不到媚姨會爲那賞金出賣他，O曾認爲她是七叔以外，最能信任的人。此刻他才察覺，原來這行業的關係，素來是建基於利益關係之上，沒有友情沒有義氣。

他之所以沒有去找黑槍販子，也是這個原因，自從上次在停車場用假槍，騙過了他們一次後，教宗很快會意識到他手頭沒有甚麼軍火，因此集團一定通知了各大小黑槍販子，留意自己的行蹤，O一去買槍，就等同自投羅網。

教宗的勢力網絡太厲害了，到處都是線人、手下。相反自己在幾年間，雖然憑技術當上了一個頂級刺客，但自己却經常保護自己，深居簡出，刻意迴避江湖上的人。結果現在便落得無處棲身，草木皆兵的下場。

現在唯一的辦法，是躲過警方追捕，今夜成功上船逃離香港。教宗是怕自己落在警方手裏，會對集團不利才捕殺他的，一旦他逃離了香港，即不會被警方拘捕，那就沒有繼續追殺他的必要。

雖然O也了解到這點，但經過今早的事後，他決定再多冒一次險。有些事情是必須弄清楚的。

「我們現在到哪兒？」阿雯關心地問。

「你喜歡打電動嗎？」O反問她。

「嗯？甚麼？我當然喜歡啦！俄羅斯方塊啦，街頭霸王啦！……」阿雯如數家珍般在說著。「你問這個幹嗎？我們到底去哪？」

「去打電動。」

客貨車朝市區方向一直駛去。

在喧鬧的街道上，有一個並不顯眼的小入口，夾在兩家商舖之間，那是條狹長的樓梯，一直向地下伸延，進入位於地下室的電動玩具店。自從教宗的手下來搗亂，打壞了店裏的東西，電動玩具店都一直休業，正門都拉下捲閘。

O的車一直到電玩店附近後，才把車停下來。

「你在這兒等我，我有點事要辦。」O跟阿雯說。

「不，我已是你的拍檔呀。」阿雯提出抗議，「你要到哪裏我也要跟著去。」

O怎麼也說不過他，因此只得讓她隨行。

他們走到電動玩具店的後門，那是在大廈的後巷處。O用鐵絲開啓了後門的大閘，跟著便步入地下室。

電動玩具店內一片混亂，遊戲機的螢光幕被敲得粉碎，玻璃碎片散落一地，有的遊樂器則被推倒地上，四周破爛不堪。

不少天花板上的光管也被打爛了，使本來已經幽暗的電動玩具店更見詭異神秘。在兌幣處後的休息室內，七叔獨坐在桌前，手執著一瓶烈酒。

他頭髮散亂蓬鬆，面頰被打得瘀腫，眼尾更爆裂了，露出了血絲，他緩緩地抬頭，看見了O，不禁有點驚愕。

「怎麼你會來？你不知道這是很危險的嗎？教宗等人很可能正監視著我呀！你怎麼不找個地方匿藏，待至今晚下船呢？」七叔關切地問。

「我是特地回來問你一件事的。」

「這個女的是誰呀？」七叔見到O的背後出現了一個女孩，馬上大爲緊張。

「放心，她是我的拍檔。」O喃喃地道。

「嘿。」阿雯不禁因身份被認同而感到高興。

「嗯？你何時多了個拍檔？怎麼我不知道的？」

「我們合作了不久。你不知道是因爲我根本沒告訴過你。」O對七叔說。「正如我也從沒告訴你，其實我眞正居住的並非麗港城，而是對面的工廠大廈。」

「嗯，是嗎？不如我們先去個安全地方……」七叔正要站起來，可是O突然掏出了手槍指著他，示意他切勿輕舉妄動。

「甚麼？這算是甚麼意思？」七叔向O怒目喝道：「你忘記我是誰了嗎？」

「不，我沒忘記，你是我的經理人。」

「你知就好，那你算是甚麼意思？」

「你不單是我的經理人，你更是我的師叔，我哥哥的師父、恩人。」

「還以爲你已記不得了，」七叔對O嗤之以鼻。「這槍算是甚麼意思？」

「我就是記得，才一直沒有問過你一個問題。」

「嗯哼？」

「那就是，」O深深地吸了一口氣。「把我的資料洩露給托爾的，是你嗎？」

「……爲甚麼你過去一直都不問？」七叔苦笑地說。「你和阿輝一起差不多跟了我七年

……」

「你別跟我來這些。」O截著了他。「就是因爲我和他一直跟了你那麼多年，我才一直信任你，對你沒有半點懷疑。但今天，我不管怎樣也要回來問你。」

「是你出賣我嗎？」

「哼，你認爲呢？」

「我要答案！」O用槍貼向他的額。

「嗯，你眞的想要答案嗎？」七叔深深地吸了一口氣。「是，是我把你的資料賣給他的。」

「……爲甚麼？」O激動地問。「如果是錢，你可以跟我談呀……」

「我就是最討厭這種語調，我不是乞丐。不用你可憐。」

「我根本不是這個意思……」

「你別忘記，我也威風過的，我曾接過東南亞所有國家的生意，私人的、社團的，甚至政客、軍隊的都有。我用不著要你把我當成老人般施捨個臭錢給我。」

「好了，你跟你大哥一樣，袋中有了幾個錢就說要退休。你有否替我想過，我靠你們那一點點的佣金，撐不了多久呀！你們有替我想過嗎？」

「那，阿輝那次行動被洩，也是你出賣他嗎？」

「對。」

「爲甚麼？爲甚麼你當天見我逃回來，不一併幹掉我？還要繼續當我的經理人？」

「因爲我需要錢。」七叔嘆了口氣道。「你知道靠人生活的痛苦嗎？是我帶阿輝出身的，你以爲我眞的忍心出賣他嗎？但他那天突然跑來告訴我，再幹一票就要退出。」

「那你教我怎樣？」

「於是你就出賣他，自己撈一筆？」O問。

「對。」七叔堅定地回答，語調中沒有半點內疚之情。

「你很自私。」他喃喃地道。

「當殺手的，哪有一個不是自私的？既然目標的命有價，同樣我們不也是一樣嗎？你何嘗不是自私，我問你，阿輝遇伏的那晚，你也在場，幹嗎你不衝過去，跟他一起突圍？」

「嗯，這……」O被七叔突然一問，霎時間不知該如何回答。

「讓我告訴你，那是因爲你自私。」

「不，」O反駁他，「那時根本沒有機會，他們人太多，即使勉強衝過去，能突圍的機會也很微小。」

「嗯哼，於是你就放棄那機會，選擇了自己一個逃命？」七叔冷笑道。

「如果救不了的話，再作無謂的犧牲又有何意義？」

「甚麼是無謂？你用甚麼作準則去界定？」七叔見O沒有話說，於是繼續說下去。「讓我告訴你，準則就是你自己。即是共產黨所謂的以我劃線①。別人犧牲在所難免，你自己的犧牲就是無謂不値嗎？你跟我有何分別？還不一樣是自私？」

「我當年出賣阿輝是爲了錢。我沒想過你會逃脫的，我承認當時見到你逃回來，確是有點意外。起初我只以爲是你的運氣好，但漸漸，我發現，你當日能逃脫是因爲你自私，你比阿輝，甚至比我都要自私。這是殺手的成功要訣，因此我知道你能超越我，我決定繼續當你的經理人，令你成爲行內的一流殺手。豪，承認吧，你這幾年之所以如此成功，亦是全因爲你夠自私。」

O拿著槍，手指也不期然地顫抖起來。他本能地想反駁七叔的話，爲自己辯護，可是却不行，他說不出一句話，因爲七叔確是說對了，過去自己一直是靠自私而活命的。

即是他那套甚麼刺客哲學，也是自私的。Maggie 亦是因爲自己自私而死。現在回想起來，

O問自己，當日怎麼第一時間沒有想過要撲上前救他的哥哥，而選擇獨自逃跑呢？

難道就是因爲只有百分之一的機會而決定放棄？

爲甚麼不選擇拚一次？難道眞的是因爲自己自私嗎？

自己即使面對親人亦是自私，那豈不是跟七叔毫無分別嗎？

「哼，人生在世，哪有人眞的不是爲了自己？」七叔感慨地苦笑。「世界就是這樣的，爲了生存，甚麼事都會幹，都要幹。你也曾替教宗賺過不少錢，但你曝了光，教宗就要你消失，這是遊戲規則。」

「生存根本就是殘酷的，這道理我在十三歲那年已經領悟，那時我跟家人逃難至中緬邊區，母親早就死了，父親和兩個兄長都在反攻中戰死。」

「我要照顧弟妹，那時四處都是原始森林，根本無處可逃，於是我和兄弟爲了每月兩個老盾，只得加入軍隊。」

「那年夏天來臨的時候，緬甸軍出動了全國一半的兵力來圍殲我們。那時我被分發到九十三師，駐守拉牛山，我二哥則駐守不遠的江口。」

「我們那營只有五百餘人，緬軍近萬人的圍攻著，炸彈就像暴雨般灑下來，有的就擊中我的戰壕不遠處。我不敢抬頭，但卻知道身邊的兄弟一個又一個的死掉。因爲別的戰壕被榴彈擊中，士兵的手脚就被炸個粉碎，斷肢飛進我的戰壕。」

「我可以很容易就知道這是我們兄弟的屍體，因爲只有我們，才窮得沒鞋穿，要赤著脚，趾頭流著血地打仗。」

「但最可怕的，還是緬甸軍攻陷江口之後。他們的印度兵團把在江口俘虜的傷兵排成一行，自己則躲在他們後面，用步槍刺刀在後抵著，強逼他們步向我們的工事。」

「其他兄弟們面對這樣的環境，全都手足無措，一旦給緬軍越過了工事地堡，山頭就要被攻陷，我們亦逃不了被殺的噩運，可是那些是跟大家一起出生入死的戰友，誰都不忍開槍，連營長也目瞪口呆，下不了決定。眼巴巴地看著緬軍一步一步逼向我們的陣地。」

「那刻，我真的感到恐懼，是真的。我由小到大都是在戰爭中長大，早已習慣了接近死亡，但我倒沒有想到，死亡可以來得如此實在、具體，它就是這樣一步步的來到我面前。」

「我望望自己的腿，仍是赤著腳，腳趾甲都爆裂，滲出膿汁和血水。那些印度鬼一面大叫我們開槍，一面繼續迫近。那刻，我終於知道，我並不想死，我不要這樣赤著腳的死去，我需要的是生存，和一雙屬於自己的鞋子。」

「於是，我從戰壕中跳出來，大叫一聲，其他兄弟都被這舉動嚇著了，視線集中在我的身上，我舉起了槍，用槍對準了緬軍那邊。」

「我透過照門，看到在戰俘排裏，有一張熟悉的臉孔。那正是二哥，他是在江口撤退時被俘的。那刻我再沒有掙扎，也沒有悲痛，我對準了他的前額扣動了扳機。」

「他的頭爆開了，就像爆竹一樣。印度鬼被這槍嚇呆了，有三、兩個兄弟也跟我一樣，朝俘虜那邊開槍，餘下的俘虜乘亂逃跑。霎時間，那道人肉圍牆崩潰了。」

拉牛山上的兄弟，一下子全都從陣地中撲出來反擊，射殺那些已嚇呆了的印度鬼。結果那一戰，我們勝了。

「我親手射殺我的二哥，我一點兒都沒有內疚，營裏的兄弟都安慰我，說我犧牲小我，救了全營的士兵，其實並非如此，我不如他們想得偉大。」

「這事我從沒有告訴過別人，我只是明白了遊戲規則，爲了生存就要自私，不管在那兒站的是誰，我都會照殺不誤。不是你死，就是我亡，世界便是如此殘酷的。你不見……」

「別說了！」O制止了他。「即使再多的藉口，你仍逃不掉，是你出賣了阿輝和我的。」

「說實話，我眞的不忍見你被殺。否則的話，在澳門時我就不會替你安排防彈衣。」

「你別再假仁假義狡辯了。」

「我沒打算過不認帳，只是想你不要大仁大義地怪責我。你做殺手，何嘗不是自私，我沒有欠你們兩兄弟甚麼，反而我這隻手，却是爲你哥而傷的。」七叔舉著右手到O面前，他手背上的疤痕仍清晰可見，這教O感到無言以對。「所以即使你今晚上船的地點，我也告訴了托爾。他願意出五十萬去買呢！比我替你接十筆生意的佣金還要多。」

「那當年紅毛仔和早前灣仔會展那事，也是你幹的嗎？」O哽咽著問。

「如果人命都可以做買賣的話，一個地址、資料又算是甚麼？」七叔一面說，左手暗裏伸到桌底，探出一把貼在桌底下的黑星手槍，突然指向站在O旁的阿雯。

「嘩！」阿雯被七叔突然用槍一指，馬上怔了一怔。

「放了她！」O喝令七叔。「這我們兩個人之間的事，跟她無關的。」

「喂，你別理我，開槍殺了他。」阿雯向O叫喊。

「住嘴！」七叔喝著她。「你以爲我不敢殺你嗎？」

「不。」O高聲叫道。「別傷害她，她是無辜的。」

「難道你不明白嗎？O！」七叔帶點激動地叫吼。「這個就是遊戲規則呀！如果她是無辜的，難道我二哥就應當要死嗎？不，只是爲了生存，沒有人的死是無辜的。」

O正在猶疑，雖然槍管只距離七叔的頭五厘米，但是否眞的要殺掉七叔，他既無法想像自己多年的恩人，竟是出賣自己的原兇，更無法想像今天竟要由自己去了斷他。

他正在徬徨的時候，刹那間，七叔突然將槍嘴一轉。O以爲他要來對付自己，於是本能反應地跨步一閃，誰知他並非要射向O，而是轉向小房間的門口連扣兩槍。

阿雯怔了一下，門外傳出一聲哀號。一個持槍男子應聲倒地。門外其他的人迅即彈開，並向小房間還火。

原來教宗早已派人監視著電動玩具店，以防O會回來跟七叔聯絡，因此當O和阿雯從後門進去時，他們沒看到在街口停了一輛白色房車，那兒正站著兩個人在監視他們。

其中一個正是那天在麗港城給O用筆揷傷了的大漢。他們一發現了O的踪影，馬上通知教宗找人來支援。

子彈縱橫交錯地從小房外射進來，擊穿了玻璃，把房內的電腦，櫃上的雜物掃個稀巴爛，O將雯護在懷裏趴下，用背擋住了玻璃碎片，但手中的槍仍指著七叔。

「要殺我的話，就待解決了教宗那班流氓之後吧！」七叔說著也不理他，蹲著向房外還槍，一個從遊樂器後探頭出來的打手，額前馬上迸爆出血花。

「我還寶刀未老呢！」七叔興奮的大叫起來。「怎樣，阿豪，要合作大幹一場嗎？」

確實，要是落在教宗的手上，他們一定會把自己和阿雯滅口。以他個人的力量，未必能殺出一條血路，因此O決定暫撇下這筆賬，一躍而起，跟七叔一起殺出去。

「你別出去，待在這兒。」O回頭跟阿雯說。

「喂。」阿雯叫也叫不住O。

七叔和O一躍而出，教宗手下馬上連環掃射。二人於是彼此給了一個眼神，各向一方躲閃到遊樂器後，避過了從前面射來的子彈，他們旺盛的火力，打得O二人不能出來。

一輪猝射後，槍聲靜止了，地牢內充斥著槍彈的硝煙和氣味。頸部縛著繃帶的大漢揚揚手，示意兩個手下拿著槍上前查看。

於是二人舉槍上前，遊樂器和雜物通通被打得亂七八糟，堆在一起。二人小心翼翼的步上前，突然七叔從雜物堆中撲出，向窄巷處狂奔，二人轉過槍來扣動扳機，可是七叔轉眼就不見影踪，反而O就在他們後面撲出，雙手握槍，連番猝射，打得二人死於亂槍之下。

其他的人怔了一下，還來不及反應，O一個轉身，從背後掏出那把在墓場所拾的機槍，向教宗手下狂掃，兩、三個手下中彈倒地。其餘的紛紛找遊樂器作掩護並向O還擊，O且戰且走。可是七叔原來已繞到了另一邊，他一面衝，一面向教宗的手下開槍，幾個人被他近距離打得胸膛爆裂倒下，那縛著繃帶的大漢馬上彎身跑向另一邊，七叔本想舉槍殺他，因為當日就是他帶人來搗亂，和逼他說出O的地址的，可是七叔連開兩槍都射偏了，當他還想再開一槍時，一個受傷的大漢從後撲上，環抱著七叔，使他動彈不得。

七叔企圖掙脫他，可是那傢伙的氣力實在太大了，怎樣也無法擺脫他，於是七叔只有提腿以橫臥在地上的遊樂器借力，向後一攤，連大漢一起撞向背後的遊樂器。撞得大漢慘叫一聲，二人滾倒在地上。

七叔用手向後一屈，手中黑星槍嘴抵住了大漢的小腹，他越扼越緊，七叔感到胸骨快要給他壓碎，窒息感叫他更不能用力，於是他連開兩槍，大漢的血濺到了七叔的耳背。由於用力過度，槍嘴都半壓入他的肚子，那大漢中槍後片刻，手才緩緩地鬆開。

阿雯正想探頭出來，誰知被那頭纏繃帶的大漢見到，阿雯認出了他，不禁手足無措地尖叫起來。

大漢一手執著她的頭髮，正要把她扯出來，誰知阿雯眼前的影像突然被染得腥紅，教她看不清眼前的事物，阿雯揉了揉眼，發覺剛才那猙獰的臉孔，已血肉模糊，再也分不清五官。

他的臉孔無力地靠向阿雯，嚇得她馬上將他推開，把手指上沾到的血擦在牆上。

原來O在他剛扯著阿雯時察覺，衝上前向其後腦打了一槍。

「噓。」阿雯不禁咋了咋舌。

「我不是叫你躲在裏面的嗎？」O喃喃地說。

「我想……」

「唏！」O截住了她的話，用手指向下指了指，示意她繼續躲於房內。阿雯沒有辦法，於是只得板起臉，躲回小房的桌後。

O回過頭，兩條身影在混亂中閃出來，O本能地後退一步撲到地上，順勢擊斃跳過來的男人，跟著再回身向另一個開槍，教他飲彈倒地。

七叔和O一面走一面跟教宗手下槍戰，剎那間電動玩具店內火光四起，彷彿像個由子彈和血液合辦的嘉年華會。

一個又一個的教宗手下倒於血泊當中，一輪槍聲慘叫交替演奏後，是一片刺鼻的硫磺味和死寂。

七叔和O再次分別走到兌幣處的小屋門前。

阿雯再次探頭出來，卻見到電動玩具店內一片煙霧，到處都倒臥著屍體。他們二人卻背靠對方，彼此沒有說上一句話。

突然間，二人就在差不多同一時間。一起旋足轉身舉槍指向對方。

七叔全無猶疑地扣動扳機，O怔了一下，可是四周仍是保持著不安的寂靜。

七叔也感到愕然，他再次扣動扳機，可是手中的槍仍然不響，他定眼一看，卻發現一顆彈殼卡住在槍身滑鐵的退膛口。令下一顆子彈無法上膛，不能發射。這是黑星手槍常見的卡彈現象。

七叔苦澀地笑了一下，然後頹喪地，無力地坐到地上，背靠著遊樂器。

「唉，老了。」他嘆了一口氣，感慨地說。

「不，只是槍的問題。」O告訴他。「二手槍就是有這樣的麻煩。」

「算了吧。澳門那些錢其實一早就收到了，在房內的冷氣槽。」

「嗯，謝了。」

「你就拿去當作路費，再找條船吧。因爲今晚下船的地點，我已告訴托爾了。」七叔告訴他。

「唔，我明白了。」O點點頭。

O轉用了左手握槍，然後把右手輕按在七叔的前額，再將槍貼在自己的手背。

「這是代我哥哥還給你的。」O喃喃地說。

七叔垂頭，看到自己脚上那雙擦得乾淨亮麗的黑皮鞋，他作了一個滿足的笑容。

七叔閉上了眼，深深地吸了一口氣。「我不配當他的師父。再見。」

O將頭轉向了另一邊，因爲他不想看到七叔的血。他咬緊了牙關，用了最大的氣力來拉動扳機。

轟的一聲，O感到手掌四周都沾滿了微暖的血液。

阿雯站在一旁，看見他的臉都扭曲了，正蜷縮在地上呻吟著，阿雯感到自己能理解他的那種痛苦呻吟並非只因肉體上的痛徹膚骨而發出。而是那種刺入精神靈髓的悲哀，教他激動不已。就像當年自己感到害死了男友一樣。

於是，阿雯沒有說話，只是默默地擁住了O，任他在自己的懷內哽咽和抽泣，直到他平服下來。

註解

①以我劃線：出自1975年10月，在鄧小平指導下寫成的《論全黨全國各項工作的總綱》。即指文革中出現的以是否同意自己的觀點爲標準，判定一個人的路線是否正確。

19 妒焰飛灰・愛，總是不能逃避・禮物

Gi Gi 已脫離了危險期，因此由需要隔離的深切治療病房轉到了可讓親友探望的單人病房內。

雖然她已脫離了危險期，生命沒有即時的危險，可是由於她腦部受到了劇烈震盪，因此陷入昏迷狀態，仍未甦醒。

鄭錦富在到過電玩中心現場視察，回到警署前，他抽空去探望了一下 Gi Gi。他想買點東西去探望她，可是卻找不到甚麼可買。本來他是想買花的。但當他駕著那日本房車抵達花店時，他卻發現自己並沒有勇氣入內。

三十六歲的他，終於想起，自己是從沒有親身到過花店買花的。

他不清楚該送甚麼花給一個正在昏迷的女下屬，甚至連花的品種名稱，一束花大約的價錢也弄不清。

結果，鄭最終也沒有進去，他只是到了超級市場，本想買瓶葡萄汁給她，可是他想到，買甚麼也無所謂，反正處於昏迷的 Gi Gi 也是喝不到的。

他一直走，最後在一個角落位置，他看到貨物架上放著一筒筒的麥維他消化餅。鄭錦富想起了當日在信德中心天台，托爾就是用這消化餅作迫擊砲的反消彈。

而自己當日，却為這消化餅的事而怪責Gi Gi，教她頗為難受，鄭回想起來，才驚覺自己過去是何等的不近人情，以往在腦內充斥的，一直只有工作。工作已塞滿了他人生的每一吋空間，再也容不下對任何人的一絲感情，自己過往對人冷漠和無情的片段，彷彿就以錄影機快速搜尋的功能般迅速掠過。教他為自己所作的感到心寒和內疚。

結果，鄭錦富買下了一筒麥維他消化餅。

病房內，四周放滿了由親友、同事、傳媒及市民送來的花籃和慰問卡。鄭在懷疑，要是自己昏迷的話，不知是否有這麼多人的關懷。

他把消化餅放在床頭的兩個花籃間。

Gi Gi已不用配戴氧氣罩，只是如酣睡般靜躺在床上。鄭凝望著她的臉，他發現自己從未曾這般認真的觀看Gi Gi，他對O或托爾等匪徒可以過目不忘，匆匆一瞥就能做出他們的拼圖。可是面前躺著的，是一張一起共事四年多的臉呀，但對鄭來說却何等陌生。要是叫他去作一張Gi Gi的拼圖的話，大概他無法記起Gi Gi究竟是雙眼皮還是單眼皮。

他甚至驚訝自己，在過往未看過她閉眼睡覺的時候，都不曾察覺原來她的眼睛是如此大的。

鄭錦富輕撫了一下Gi Gi的臉頰，她的皮膚幼嫩得不像一個警察。

「喂。」鄭強帶微笑的哽咽著。「……別偷懶呀！得像個O記探員呀……你要起來啦……」

鄭再也無法說下去。豆大的淚珠淌在床邊的病履表上，化開了表上的墨水。

阿琛、鏘仔及其他有組織及嚴重罪案調查科的探員，全都在走廊等候，因爲他們都不想騷擾鄭錦富。

片刻，鄭錦富終於從病房中出來。

「怎樣？」鄭一面走一面問鏘仔。

「在電動玩具店處有個中槍男子還沒有死。他說見到陳浩然到電玩中心殺了那兒的管理員和其他人，另外還有一個女孩和他在一起。」

「他還聽到陳浩然說今晚要乘船逃亡，可是地點却沒有說。」

「那他有供出誰主使他去殺陳浩然的嗎？」

「沒有，」鏘仔告訴鄭。「他說只是因爲那管理員欠下他賭馬的賭債，自己本想去找他晦氣，却碰上槍戰。」

「廢話。」鄭也明白不可能再在他身上套取到甚麼。

「本來我們還想再盤問一下，可是他的傷勢惡化，剛才已經休克，現在醫生正在替他做手術。」阿琛說著停了一會。「但鄭 Sir，軍火專家說有件事很重要的。」

「嗯？」

「那就是在電動玩具店內總共撿到九十六顆彈頭，七十七顆彈殼，據他估計最少由超過七枝不同種類的槍械所發射。可是現場撿獲的，只有一枝沒有了彈匣的黑星手槍，和一把觀塘被殺的警員的佩槍。其餘甚麼都找不到。」阿琛告訴他。

「那就是說，O將現場的槍彈都收集了。大概他正提著一個如小型軍火庫的手提袋吧。」鄭錦富嘆了一口氣道：「老實說，我有點情願他今晚能成功逃離香港。」

「嗯哼？爲甚麼？」鏘仔對鄭說的話感到莫名其妙。

「O是個低調的傢伙，他不會隨便濫殺，因此只要他今晚能成功下船，沒有被他的集團找到，就不會再有人命傷亡，而他呢，亦會從此銷聲匿跡。」

鄭錦富說著感到有點矛盾，此刻的他，確實有點希望O能逃離香港。可是他也明瞭，要是一旦他逃脫的話，也許此生再沒有機會找著他。

自己一直多年來，爲了肯定這個傳說中的傳奇人物，差不多放棄了自己的生活，全心地投入O的世界，已經再沒有了自己，有時早上面對鏡子，他會感到自己是何等的陌生，自己沒有甚麼生活，也沒有甚麼朋友，甚至說不出一間自己喜歡的餐廳。鄭覺得自己就像個爲了找尋諾亞方舟殘骸而廢寢忘食的考古學家。

可是現在傳聞得以證實，鄭的幻想化成一張實在的臉。只是，他反而却步不前。他不斷地告訴自己，這傢伙是個罪大惡極、喪盡天良的人渣，觀塘警署的探員死於他的刀下，Gi Gi仍然昏迷不醒。還有過去他幹下的數之不盡的案件，和他槍下的人命。

鄭是絕對有責任將他繩之於法的。但鄭感到有點疑惑，到底自己是否眞的有能力，去逮捕這樣一個技術如此超卓的殺手呢？

無可否認，O的技術是一流的。對於這樣的人，如果強要逮捕他的話，是否只會徒增無謂的流血呢？

可是叫他眼睜睜地目送他離去，自己又絕不甘心。

鄭感到困惑，他明白這不是一個正常警察應有的想法。可是，自己又曾幾何時做過一個正常警察呢。

此時，鄭錦富的行動電話響起來。

「喂，鄭Sir。」那邊傳來略帶輕佻的聲音。

「你是誰？」鄭的神經馬上變得緊張起來。他雖聽得出這不是陳浩然的聲音，可是憑他的直覺，却知道這通電話非比尋常。

「語氣別那麼兇好嘛！」那邊又傳來聲音。「說到底，我也是你的恩人呢！」

「爲甚麼？你對我有何恩？」

「要不是我，你也找不著O呢！」對方說著一陣笑。

「駱達華？你在哪兒？」鄭追問。

「唏，別著急！」他語調輕鬆地說。「我現在打電話給你，就是想跟你談談有關自首的事嘛……」

「自首？」

「別打斷我的話，也不要企圖追尋這電話的來源。我剛才說到哪裏？對，就是自首；不過自首的不是我本人，而是我的家。」

「嗯哼？」

「鄭Sir，你現在馬上派人到佐敦渡船街的文苑樓八樓C室。那裏的剪報、影帶，就足夠你和證物組忙上整年。」

「爲甚麼？你爲何告訴我？」

「你問我爲甚麼告訴你？那我就告訴你爲何吧！那是因爲你自己找不上我呀！就連我的照片，也是O寄給你的。試問你有本事找著我，了解我嗎？但沒關係，因爲我已準備了資料，他媽的豐富得要死的資料，可讓你充分地了解我的所做、所想和所知的事。我把這些都給你，可是我有一個條件。」

「甚麼？」

「你可用這些資料，去寫一本關於我的書。你要用O寄給你的照片作書的封面。」

「爲甚麼要選我？」

「不是我選你。」托爾告訴鄭。「是上天選了你給我，它選上你作這重要的任務。因爲你是世上最了解O和我之間關係的人啊！」

「嗯，是嗎？我好榮幸呀！你已經告知了我地址，我沒有必要要答應你。」

「是嗎？但你也不能拒絕。因爲O是我介紹給你認識的，你欠我一個人情呀！鄭Sir。」

「我沒有欠你甚麼他媽的人情！」鄭憤怒地對著電話咆哮。「只有你欠下社會數十條人命！你死一萬趟也還不完呢！」

「我沒有打算賴賬呀！你先別這樣急躁，你之所以如此激動，並不是由於我犯下的罪，而是因我比你更了解和清楚O。」

「不見得，」鄭不甘示弱地反駁他。「起碼我比你更淸楚他家的地址。」

「嗯哼。是，這點我實在不得不佩服你。」

「過獎。」

「但要是你比我知得更多的話，你現在爲甚麼又一籌莫展呢？不用準備嗎？」

「你知道他今晚下船的地點？在哪兒？」鄭追問。

「怎麼啦？很妒忌吧！但你怨不得我，這是我和他之間的約會，閒雜人等還是少一點的好呢！」

「Fuck You！」

「Gracias por todo！哈哈，No sabe cuanto se lo agradezco.」托爾收起了他的朗笑之後說。「你還是快點趕去佐敦吧，我在屋裏還準備了一份會計時的禮物呢！遲了恐怕來不及呢！」

鄭剛要再追問下去，托爾已掛斷了電話。

「馬上找軍火專家。」鄭迅速向阿琛等人下命令。

「嗯，去哪兒？」

「佐敦渡船街。」

托爾放下了電話，目送著鄭錦富和其他探員上車。他覺得這皮膚黝黑的大個子，雖未必是最好的記錄者，但目前來說，他似乎是最了解自己和O的人，而且托爾知道，他能夠代入自己的角度，這點是非常重要的，起碼保障自己的觀點和行爲不致被扭曲和隨便篡改，就像路迦能忠實地記錄基督的言行。令後世能在一個客觀和公平的環境下了解自己的行徑。他深信的事蹟，足以讓他成爲不朽的殺手，亦是胡克所謂的「創造事變人物」。

這工作由鄭錦富去完成的話，托爾就再無牽掛。

他踏著步伐離開醫院的大堂，就像當年自己在嬤嬤死後，踏著遍地紙錢的飛灰，離開那屬於少年火紅時代的四合院一樣。

在渡輪的冷氣船艙內，剛出了一身大汗的阿雯感到有點寒意。微微地打了個顫抖，但仍提著手提袋走到近船尾的座椅。

「要交換一下嗎？」O問她。

「不用。」

阿雯堅持繼續拿著這一袋從電動玩具店內撿回來的槍，而不肯拿那袋較輕的鈔票。免得給他一個很懦弱的感覺，這袋鬼傢伙也實在太重了，在電影中，總是看到人很輕鬆的提著一大袋武器，可是現實却比幻想要重上數十倍。

二人戴著在碼頭附近買回來的廉價鴨舌帽和墨鏡，裝作一副前往大嶼山宿營的小情侶模樣。O本來只想在艙內找個安靜的角落坐下，可是阿雯却要去買餐肉煎蛋速食麵。

「你不覺得嗎？」阿雯彷彿很驚訝的問：「坐上這渡輪而不吃這兒的餐蛋速食麵，就像明明看見了蚊子在叮你而不去拍牠，你明白我這意思嗎？」

「那即是說這是很・非常・嚴重・十分・好或很好諸如此類的不自然。上船彷彿就要吃這個，我每次也會吃的。你吃過嗎？」

「我總認爲這兒的速食麵，跟其他餐廳的和超級市場所賣的有分別。也許他們是暗中混了點興奮劑或白電油之類，我不大清楚。」

「總而言之，它的味道就確是與衆不同，教人會有點上癮。」

「而且，眞的不知道以後再有沒有機會吃到它了。」

「O沒有回應她，只是默默地在吃著從阿雯用筷子夾起的麵條。而雙手則放於桌下。」

「怎麼啦！還很痛嗎？」

「不，沒甚麼。」O回答。

右手的傷口雖然已止血，但手掌差不多麻痺了，O右手緊握著一團急救棉紗，並用左手按著蓋在手背上的棉紗。

O根本沒有用心聽阿雯所說的話，內心仍是為著七叔的事感傷不已。除此之外，同樣教他感到無奈的，是自己過去在當刺客的日子，一直強調著要使用嶄新的槍械的他，可是在要逃亡的今天，他所提著的，却是一袋從警察、殺手處搶來的槍枝和彈藥。

O不禁感到一陣苦澀的無奈和荒謬。

「我們今晚會照樣上船嗎？」阿雯吃了一口午餐肉之後問。

「嗯哼。」O點點頭。

「那個甚麼傢伙怎麼辦呀？」她追問：「他也知道我們上船的地點呀。」

「是呀。」

「那還照樣去嗎？」

「有些事情是不能永遠逃避的。」他喃喃地說。

安裝在托爾佐敦單位內的計時炸彈，爆發時間設定在五小時後，而且以簡單的錶面時針在計時引爆，似乎是故意讓警察可拆除似的。

環顧四周，屋內有一些大小不同的公文袋，上面只是寫著一些日期和街道名稱。還有一大堆標有時間的錄影帶。鄭錦富隨手拿起了其中一包打開，內裏載了一些地圖、相片、筆記和剪報。他不難想像這全都是托爾所幹過的案件。

「這傢伙簡直是他媽的自戀狂。」鄭喃喃地道。

「鄭Sir，有同仁在房內找到這份文件。」阿琛告訴鄭。

他遞上了兩份用膠套套著的文件，鄭一看，那是一份由托爾親手撰寫的授權書，內容大意是說明自己現正授權鄭錦富出版有關駱達華生平的著作。版權及各項收益均歸鄭所擁有。並委任鄭日後爲他控告一切有扭曲和杜撰駱生平的著作和報導。

下款處他簽上了中文名字駱達華，並在名字後面再括著英文名 Asathor。

阿琛和不少在場的探員都把視線集中到鄭身上，大家都疑惑爲何疑犯會寫下一張這樣的授權書，而授權的，却竟然是一個負責追捕他的督察。大家都想知道鄭對此有何反應。

可是他本人却不以爲然，鄭所擔心的，是托爾那可怕的決心，既然他已把自己的資料和所犯的罪案一次過告知警方，那就表示會有更多的罪證掌握在警方手中，他將會越來越難逃亡。鄭感到駱達華似乎不需在意罪行被揭發，或自己的行踪暴露。

鄭擔心的，是托爾極可能眞的知道O今晚上船的地點。而鄭感到他這樣向自己透露地址的行爲，似乎有著一種易水送別的意味。駱會豁出去，不惜一切地幹掉O。

鄭氣憤自己無法查出O下船的地點，現在仍一籌莫展，否則仍可阻止他們的慘劇。鄭錦富不禁問自己，到底自己是否眞的妒忌駱達華比自己更淸楚O呢？

不知道，他眞的無法肯定。

「這下子可眞麻煩了。」鄭錦富喃喃地道。

「嗯，你說甚麼？」鏘仔問。

「沒甚麼。鏘仔你聯絡每個環頭，叫他們監視每個有可能下船的地方，一有任何動靜就第一時間通知我。」

「Yes, Sir。」

「另外，阿琛你替我安排一架直昇機和機師，隨時候命。」

「對啊，鄭Sir。」阿琛告訴他。「剛才在墳場那邊的同仁致電總部，說那墓地已掘開了，在棺木下發現一具女性的骸骨。現在法醫官正在檢查骸骨，但仍未能夠確定她的身份。」

「你叫他們翻查一下墓地的記錄，那個墳墓的下葬日期。那副骸骨的死者應該是在該段時間死亡的。我相信跟那墳墓的死者是沒有關係的。只不過是她的死亡日子剛巧跟墳墓死者下葬時間一樣，O才把她葬在那兒的。所以你跟失踪人口調查科處聯絡，看看半年前左右有否任何女性失踪。我想這也許能找到她的身份。」

鄭錦富跟著再沒有說甚麼，然後轉身離開。他不再想在此多留一秒。

夜，碼頭的人逐漸稀少。下船處放著兩三箱的貨物。大海就像只剩下如街燈所映照到的範圍。

一條人影由遠而近，朦朧的五官開始在燈光下浮現。

那是O，托爾清楚認得。

他一個人獨自提著手提袋，右手還包紮了紗布，用著平靜優雅的步伐走向碼頭，神態活像一個英國紳士。似乎他並未發現自己身處托爾的監視之下。他不禁對偶像如此疏忽感到失望。

在這樣情形之下幹掉他，眞是沒有預期中的那份興奮呀！托爾在心咕噥著。

也許可以改變一下嘛。於是，躲在貨櫃頂上的托爾輕輕的放下手中的M66SP狙擊槍。掏出了那插在腰間的白朗寧9mm RUGER手槍。

托爾知道現在他只要輕輕的一扣扳機，他就將成爲殺手界中的經典。一直以來，他都爲了成爲經典而不遺餘力，他甚至隨身地帶著一本《麥田捕手》。在扉頁上寫上一句布雷默爾（Arthur Bremer）在日記上的一句話，他正是刺殺喬治・華萊士（George Wallace）的殺手。

我像引爆第一次世界大戰的導火線一樣重要。

今天，他終於可以用白朗寧——一種能改變歷史的手槍，去改造殺手界的歷史。普寧契夫的一槍結束了一個時代，而他則用此開啓殺手界的新紀元，一個不需用年資和關係去衡量殺手的新紀元，而在這個偉大的時代，他將接替O成爲這行業中的傳奇。這名字將蓋過每個時代中的每一殺手。成爲不朽的經典，成爲每個新人爭相模仿的對象，別人將引述他說的話或案件來肯定自己的論點正確。

托爾知道，這一切將會在他扣動扳機的一刹化爲現實。

突然，眼前一黑。

四周的街燈都同時漆黑，托爾還來不及回過神來，剛才在白朗寧瞄準之下的O，却如鬼魅般消失得無影無踪。

一陣嘔吐感，突然湧上托爾的胸口，他知道，那是O在玩弄著他那算計的把戲。

「噢，Shit!」托爾在怒吼。

原來O在知道了托爾的身世後，便想到用這個方法對付他。他先叫阿雯跑到附近的街燈電錶處，自己則裝作若無其事的步向碼頭，讓托爾疏於防範，然後當阿雯一看到O步進碼頭時，就馬上砸壞電錶，讓碼頭的街燈全部熄滅，突然陷入漆黑一片之中。

O知道黑暗是托爾的不利死神，突如其來的黑暗就能勾起他的不快回憶。而情緒不穩就會導致技術失準，這會對O極爲有利。因此O決定用此方法打擊他。

「Fuck You!」托爾一面高聲叫囂，一面不停地向碼頭下胡亂開槍。「你以爲這樣的把戲可以把我逼瘋嗎？沒用啊！因爲我本身早已是瘋了的嘛！哈哈！」

O躲在一木箱之後，他已看出托爾的位置，於是掏出了一把64式微音SMG機槍。

「這點我早就知道了！」O喃喃自語。

說著他隨即一個轉身飛躍而出，向托爾連番猝射。子彈朝著貨櫃上的托爾撲面而來，於是他一個翻身側閃，滾到一旁。托爾於是抓起狙擊槍，從另一旁跳下地面。

O馬上繞到另一邊，他一見到托爾從角落處出現，便不由分說地朝他掃射。托爾躲回櫃後，不斷調整著呼吸，可是他的大腦感到一陣暈眩，雙眼總是無法準確對焦。

「你以為這計劃很好嗎？我才不覺得呢！」托爾向著O那邊叫道。「待我打爆了你的頭顱時，你就會知你這想法是何等幼稚。」

O並沒有說甚麼，只是用上一排子彈來回應托爾的話。

托爾甩甩手，深呼吸了一口氣，他堅信自己能克服這如夢魘般的黑暗，是時候要同時跟黑暗和O作一個了斷。自己要當歷史上最成功的殺手，因此絕不可被任何事情所阻，不可阻，也不會阻。

因為他是神人中的最強者。

托爾一旋足而出，疾步奔向O的方向，一面不斷扣動扳機，打得O抬不起頭，托爾心中暗自算著彈匣內子彈數目。

七、六、五、四……

托爾衝到櫃前，舉槍向背後一指，誰知O卻不在那兒。

「你記得嗎？O！」托爾大叫著。「逃避死亡的人就是追逐死亡呀！你跑不掉的，你知道嗎？那個載你的船家，我也付了錢給他呢！但我告訴他，我們兩人，只會有一人上船……」

「船」字還未說完。右邊一排子彈寧靜地竄過來。托爾反應敏捷，馬上滾到一旁閃避。

「那個就不會是你嘛！」在車後向他放槍的O說著。

「那我倒想真正領教一下你的本事呢！」托爾說著向他還了數槍，彼此拉鋸了一會。他想，這也不是辦法，附近的居民在聽到槍聲後可能已報了警，因此餘下的時間已不多。因此必須速戰速決地幹掉他。

托爾突然又想到了一事，既然O剛才能在托爾的監視之下關掉碼頭的街燈。因此O或有一個拍檔在此。那人極有可能是警方昨晚通緝的那女孩。

「你在拍拖嗎？怎麼我沒有聽過？」托爾大叫。

O一面繞向車的另一邊，一面回答：「我跟誰交往，用得著你管嗎？」

當O經過其中兩個貨櫃時，突然他意識到一道陰風從兩櫃間極窄的狹縫狂飆而至。他瞬即後退一步，一顆冰冷的子彈從狹縫中竄出，擊穿了後面的櫃牆，彈孔旁的油漆都剝落了。原來，托爾猜O一定會繞過來，於是在貨櫃另一邊舉著狙擊槍，在兩個貨櫃間約兩吋的狹縫處瞄準著對面，一趁O走過時便放冷槍，可惜被O避過了。

O亦舉機槍進狹縫處掃射，可是由於無法瞄準，子彈只是打進貨櫃的凹凸板處，迸發出一陣火花。

O不禁暗暗佩服托爾的技術，剛才那一槍，他的子彈必須要完全直線的射出，那才能準確擊中狹縫的對面。即使只有一毫米的偏差，子彈也會因角度偏差而擊中貨櫃，或因反彈而更改了方向。

他真的不愧是個奧運選手。O心中暗暗地想。

可是，此時他沒空再頌讚他。手中 64SMG 的子彈打光了，於是他把手攢進手提袋，取出了一支 Vz61 輕機槍，跑向貨櫃倉的另一端。

托爾聽到O的腳步，於是加緊步伐，亦向貨櫃的那一端衝去，一到巷口不由分說用白朗寧朝右邊猛射。

O左衝右突，閃過了三、四顆托爾打來的子彈。一面把機槍夾在左手腋下，且戰且走地向後還火，片刻又消失於黑暗當中。

O本來的目的，是希望可用突如其來的黑暗把他拖垮，但這似乎未能成功。

「怎麼啦？」托爾邊打邊說：「仍是這麼害怕死亡嗎？出來呀！」

#

O吩咐阿雯關掉碼頭街燈的電錶後，就獨自躲起來等待漁船到達，O交代雯切勿亂跑給托爾發現，可是她聽到了貨櫃場那邊傳來了連串槍聲，於是擔心O會有危險，因此便決定跟去找O。

阿雯悄悄地潛進去貨櫃場那邊，槍聲靜止了。她一直走，在黑暗中摸索。每個貨櫃都差不多，阿雯很快分辨不出方向。

她只得拿著早前O在墳場搶來的 64SMG 輕槍，繼續尋找O。

「喂，是你嗎？」阿雯壓著嗓子，輕聲地叫喊著。

阿雯聽到背後有點聲音，誰知一回頭，赫然發現一條身影已貼近面前。由於四周漆黑，加上在墳場毀掉了眼鏡。因此阿雯一時間無法看得清楚。

「是你嗎？」她試著問。

「嗯哼。」對方一聲冷笑，阿雯馬上意識到那不是O，而是托爾。

她扣動扳機，數顆子彈從機槍處射出，可是托爾握住了機槍的槍管，令阿雯無法射向他。

O認出了那是屬於64SMG的槍聲。於是大喊著：「阿雯？」

托爾正想伸手揪著她，誰料阿雯鬆開機槍，突然用力向托爾一踢，踢中他的膝蓋。托爾馬上痛得打個踉蹌地退了數步。

阿雯於是馬上就逃跑，可是托爾卻飛身撲過去，二人滾倒地上，托爾於是和她糾纏起來。拉扯之際，阿雯摸到了口袋中有一硬物，原來那是O昨晚用散彈槍子彈所製的榴彈。

於是阿雯二話不說便用勁把榴彈扔向托爾。托爾見一團東西飛過來，本能地閃避，於是阿雯趁機滾到一旁。榴彈飛過了托爾，打中了後面的貨櫃，由於有膠帶作尾翼定風，因此銅帽那邊先觸貨櫃，被沾在外面的鉛珠壓向推擊引信，令子彈產生爆炸。鉛珠和鐵釘都迸爆而出。

托爾閃避不及，其中兩顆鉛珠擊中了他的背部，而一根生鏽的鐵釘，却半嵌入他的眼角處，教他左眼半睜不開，血流滿面地慘叫了一聲：「幹！」

O知道，他中了那榴彈。

「噢，Es terrible, Como puede ser! O，你何時開始會做這樣的勞作呀？怎麼我都不知道呢！」托爾半掩著面呻吟著。

O見機不可失，於是躍出去，上前向他掃射。托爾旋足閃過了幾顆子彈，又用搶過來的SMG還火，O馬上一個跟斗地避過了。於是二人如此的拉鋸開了十來槍。

O一面跑一面開槍。突然，托爾一槍打中了手提袋的手把，整個提袋都飛脫開來，掉在距離O大約五、六步的地上，O剛想回頭拾起提袋，一排子彈打得他馬上瑟縮在石躉之後，他剛想還擊，可是手中的Vz61的子彈已打光，於是只得馬上掉頭逃跑。

托爾上前拾起那袋槍械，然後用力一拋將它掉進大海。他知道，O所餘的火力大概不多，這正是解決他的時候。

「不用怕呀！Venga usted aqui。死並不如你想像得那麼可怕呀！」托爾叫道。

O突然在左邊一個木箱後冒出、手中握著一支左輪手槍，向托爾開了一槍，却因他剛轉過頭而避過了，子彈只擦傷了他的耳朵。他馬上回身向木箱瘋狂掃射，但O已逃到另一邊。

「怎麼啦！不要像隻老鼠般偷偷摸摸，你那麼怕死嗎？」

本來，阿雯以爲自己所擲的手榴彈會炸死托爾，可是當聽到他的聲音時，才知道不是。阿雯懊惱自己總是如此脫線，不但手榴彈擲不中他，而且還給他搶去了自己的機槍。一心想著幫忙O一下，誰知越幫越忙。

於是她想還是找個角落暫躲起來，阿雯躲在電油桶間的空隙。誰知O和托爾在一輪槍聲後又變得沉寂。於是阿雯忍不住伸頭出來探個究竟。

難道其中一方已被幹掉了嗎？阿雯心想。

可是她又馬上意識到，如果二人還在槍戰的話，自己就不應探頭出來看；如果O殺了托爾，自然會呼叫她出來；但要是托爾幹掉了O的話，他則會找自己出來一併殺掉。因此自己就更不應自動現身。

可是當阿雯想到這點時，一切已經太遲。

一支冰冷的白朗寧槍管已經抵著她的頭顱，托爾用手把她整個人從電油桶處揪出來。

「怎樣？O，我抓到了她呀！」托爾一面用手箍著阿雯一面喊：「你還不願意出來受死嗎？能這樣地死去，本身已經不是一種恥辱啦！出來吧！」

可是四周却絲毫沒有半點動靜，托爾於是冷笑地向阿雯說：「噢，似乎他對你的愛還不算很深呢！」

「Fuck You!」

「別忘記自己的性別呀！」托爾不屑地笑說。

阿雯嘗試掙開他，可是血流滿面的他仍牢牢地箍著她，一面把她拖向O的那邊。

O突然從木箱後飛出，直趨向另一邊的貨櫃。

托爾馬上舉槍向O掃射，子彈如碎雨般打過來，可是也給O躲避了，他終於跑到貨櫃的背後。

「噢，別這樣。你的馬子在這裏呀！你要勇敢一點，像個男人嘛！來吧，讓我們感覺到你像個男人呀！」說著托爾又向那開了兩槍。

O躲在貨櫃的後面，他看見一艘魚船在海面出現，一直向碼頭，他估計那應是來接應他們的船。時間已經不多了，他必須盡快解決他。

O退開了左輪的彈輪，內裏只剩下兩顆子彈。O突然靈機一動。於是他把一顆子彈放進彈輪，然後隔空了兩格才放進第二顆子彈。

托爾挾著阿雯碎步而行，一直迫向O那邊。

「要看他有多喜歡你，就要看看他會否向你開槍啦！」托爾得意地對阿雯說。

「他才不像你般冷血呢！」她反駁他。

可是阿雯此語未落，O的槍從貨櫃邊角伸出，O連瞄準也沒有就向外開槍，但打了一發子彈後，他再扣動扳機，手槍却擊了兩發空膛，於是他馬上把槍縮回去。

「對不起，似乎他是愛自己多一點，」托爾說著步向貨櫃那邊：「怎麼啦?行內最出名的殺手，死於沒有子彈。那簡直可成爲刻在你墓碑上的銘言，眞教人遺憾啊！」

阿雯爲了阻止托爾過去，於是用勁咬下他的手臂。托爾感到劇痛難擋，她差不多想把整塊一頭肌都撕出來似的，於是托爾扯著她的頭髮用力一摔，阿雯整個人飛撞向油箱那邊，昏暈過去。

一瞬間，一團身影突然飛出，O扣動扳機，子彈從左輪處應聲而出，可是並沒有擊中托爾。

托爾那件染血的外套跌落在地上。

原來托爾猜到了O的把戲，於是故意走近轉角位時，便突然拋出風衣，引O開槍。

「那是《至尊計狀元才》的橋段呀！」托爾興奮地叫囂著：「你不應跟我來這一手呀！我最喜歡的就是看電影呀！」

托爾說著轉向那邊，想扣動扳機時。一顆子彈以高速鑽進他的胸膛。突如其來的衝擊力，教他翻身一倒，手中的槍也掉在地上。

「啊……」托爾掩著胸口在呻吟著，眼中流露出驚訝的目光。

O正默默地站於他面前，左手握著剛才的那把左輪，而包著紗布的右手則握著一根黑星手槍。

「……怎麼?」

「你的問題，是你太喜歡電影了。」O喃喃地道：「玩這把戲，並不代表我只有一根槍。」

「噢，太好了……這是你事先計劃好的嗎?」

「不，只是臨時想到的。」O告訴他。

托爾作了一個苦澀的笑容，突然一躍而起撲向O，O閃避不及與他雙雙撞倒地上。O的手槍跌到一旁，托爾壓住了他，教他動彈不得。

托爾想用拇指壓向O的眼珠，可是被他用左手和手臂擋著，於是二人糾纏在一起。

混亂間，O的右手探到了褲袋內的木鉛筆，於是千辛萬苦的拿了出來，並緊握在掌心。可是他的右手掌心已擊穿了一個彈孔，包住的紗布都散了，O一運力，鉛筆尾部就插入了掌心的彈孔。教他痛得五臟六腑揪在一起，但O咬緊牙關，用力把筆握於手中，然後大力抽，將筆插進托爾的心臟位置。

由於力度太猛，因此筆的尾部推了更多進掌心之內。

O再運力一推，餘下的筆都插入了托爾身體之內。O緊貼著托爾，他甚至可感到他的心跳，和他那輕微的顫抖與呼吸。

O感到驚訝，那大概是他前所未有的感覺。過去的他一直把暗殺視爲一份職業，可是此刻他突然感受到一種震撼。

他終於體會到爲何托爾能將之視爲一種藝術。對，他終於體會到。謀殺行爲雖然粗糙，但在它的中心部分，仍包含著最細膩的感情。

「噢……」托爾哽咽著說：「……你，終於……能像個男人啊！」

說著O再用力一扭尖銳的鉛筆劃開了他的心臟，令他胸口更血如泉湧。托爾的雙手變得軟弱無力，然後慢慢翻臥到地上。O忍著痛把手抽離那筆，筆尾沾滿了O手掌的血，嵌在托爾的胸口。他間歇地抽搐著，每震動一下，血就沿著鉛筆的邊湧出體外，染紅了他的襯衣。

「……你不愧是……最厲害的。」托爾告訴O。

「你也不賴嘛，我想如果當日沒有停電的話，你大概可以得到那金牌。」O說。

「……是嗎？」托爾笑起來，可是他一笑，血就流得更嚴重。「你也覺得是這樣嗎？」

「嗯哼。」O點點頭。

「我都相信是。」托爾滿足地說。

此時船已經泊到碼頭。

「哎……」托爾說著停了一會。他的樣子已顯得有點憔悴。「似乎，今晚上船的……大概不是我吧，噢……對了，你能否伸手進我褲袋……」

「甚麼？」

「我有點東西給你。」托爾帶點吃力地說。

O見他即將要死，大概也要不了甚麼花樣，於是便伸手進托爾的褲袋，裏面有著一把鑰匙。

「這是我在蘇黎世銀行的匿名保險箱的鑰匙……我剩下的錢都在那兒，你去拿了吧，反正我也沒有甚麼親人……那保險箱的登記名稱是……Asathor……密碼是……特魯特凡……T.H.R.U.D.V.A.N.T。而數字密碼是5……」

「540，我知道。」O告訴他。

「嗯哼……我們……會算是朋友嗎？」托爾一面說，口中就溢出了血塊。

O勉強地爬起來，幾經辛苦才站得穩。

「嗯。」O望著托爾，微微地點了一下頭。

「那，就好了，朋……友，是不大計算勝負的……也許，該喝杯……咖啡，聊聊天……」

托爾感到四周越來越冷，彷彿回到了冬季的天津。那種冷是南方所沒有的。但漸漸，他開始感到更冷，那程度超越了天津，耳珠也有點麻痺，他覺得自己整個人變得比羽毛還輕，漸漸隨風而飄，吹向更北、更冷的地方。

很快，他又回到這兒，一個幽暗的碼頭，他的眼皮開始加壓，眼前的O已變得模糊，托爾知道，那將是他在這世界最後可見到的景物。

他想起了拜倫的一句話，也許會適合成為自己墓碑上的銘言。

人不知哪裏最危險。同樣是死，由子彈穿過去的死比喝著藥水而死更有價值。

他本想開口告訴O，可是他實在太累了，必須好好的睡一會。眼皮慢慢闔上，O漸漸從前面消失。

出現的，是一片無邊浩瀚的漆黑。可是托爾已不再感到恐懼或驚惶，他已很久未曾尋獲這種黑暗中的安祥。他再沒有甚麼牽掛，他知道，自己能在靜謐的漆黑中找到光明。

他將一直向更北、更冷的方向飄去。直至到達屬於他的世界的盡頭，那兒是遙遠的冰島，一個他從未踏足過的家鄉。

在那裏，有一個在他五歲時就離他而去，面目模糊的父親在等待著他……

20 尾聲

從黑暗世界，逐漸過渡往光明。醫院內白皚皚的強光令久慣幽黑的瞳孔不大適應，產生了一陣刺痛。

眨眨眼，幾張面孔飄進了視線。乍看之下，他們好像有點熟悉，但又老是叫不出名字。耳朵聽到微弱的歡呼和慰問，慢慢，聲音擴大了，開始變得清晰，連窗外的車聲也聽得清楚。

「囡囡……」有一婦人在床邊握著她的手，涕淚縱橫地道。

Gi Gi 勉強地伸了那無力的手去安撫她的激動。並說：「媽，別這樣嘛。難看死啦。」

「Gi Gi，你認得我們嗎？」阿琛關切地問道。

Gi Gi 環顧四周，除了爸媽外，還有阿琛、鏘仔和一大班同事，於是她微微地點點頭。

「我……睡了很久？」

「差不多有三個星期啊。」鏘仔告訴她。「醫生估計，你甦醒的機會，只有四成呢！」

「嗯，」Gi Gi 環望著四周，突然好像想到了點東西。「對啊，那O捉到了沒有。」

Gi Gi 此話一出，衆人都變得沉默，彼此面面相覷。

「怎麼啦？」

「這個……還沒捉到。」鏘仔帶點懊惱地告訴Gi Gi。

Gi Gi突然想起，在床邊的同事中，看不見鄭錦富的影子，一陣強烈的不安和憂慮突然在腦內閃過。

「那鄭Sir呢？」Gi Gi見衆人並無反應，於是更爲緊張。拉著阿琛的衣袖問：「告訴我，鄭Sir在哪兒呀？」

「他……被通緝了。」阿琛無奈地說。

「甚麼？」

衆人於是把Gi Gi自從昏迷後的事逐一告訴她，包括挾持阿琛作人質，墳場和電動遊樂場的槍戰，和最後O在大澳殺掉駱達華一事，都詳詳細細地告訴Gi Gi。

「當時，我們接報後便趕往現場，但O和那少女乘的船已經駛離碼頭。」阿琛說：「當時鄭Sir坐直昇機於上空指揮著，他用無線電要求水警阻截。但你知道嘛，大嶼山、榕樹仔以西的海面都不是香港水域，理論上香港水警是無權追截的，因此水警要求中國公安艦艇的協助。」

「如此無線電的請示往來之際，O的船越開越遠，鄭的直昇機也因沒油而折回，最後竟眼巴巴地讓他逃脫了。」

「回來時鄭還發了很大的脾氣呢！」鏘仔補充說。

「可是，事件還沒完結，我們查到了那少女叫做徐素雯，住在大埔邨，她本是替陳浩然在麗港城的住所做兼職打掃的。在大澳逃脫後的第五天，她打了一通電話回大埔邨的家。告知她爸媽平安，並說了一些感激照顧和再見保重之類的話，我們查到電話來源，那是來自台灣基隆市的電話亭。」阿琛說。

「至於墳墓下的骸骨，」鏘仔接著說：「證實了是失蹤少女彭美琪，驗屍報告證實她是被近距離向頭部開槍射殺的，她的家人認得那 Walkman 正是她的物件。她也是替O作打掃工作的，我們仍在調查她是否被O所殺。

「而駱達華的屍體，在大澳事發後兩天，北京就有官員派下來領走了駱的屍體，並要求我們對他的身份和死因保密。一個多星期後，大陸就發佈了很短的有關駱達華病逝上海的報導。」

「自從O逃脫後，鄭 Sir 一直情緒低落，沒有怎樣說話。可是警方高層卻因爲駱達華的授權書，而懷疑他和疑犯有不尋常的關係。結果竟要鄭 Sir 去接受內部調查。」阿琛對此不禁嗤之以鼻。

「可是自從調查後，鄭 Sir 竟趁著證物室職員吃飯時，潛進證物室偷走了大批證物。」

「那是甚麼？」Gi Gi 問。

「都是駱達華家中的剪報、資料。」阿琛想了一會之後說。「噢，還有陳浩然的日記殘骸。」

「日記？」

「對呀！就是你觸動到的冰箱炸彈呢！裏面原來藏著陳浩然的日記，爆炸雖然猛烈，但仍有部分的日記沒有燒毀的。這樣，當我們發現證物失蹤，想找鄭 Sir 時，他已經乘了飛機到台北。之後他便失蹤了，我們查過了他的戶口，他在事前已取消了名下所有的銀行戶口。」

Gi Gi 聽到阿琛說過情況後，顯得一臉惘然。她不知道該說些甚麼，視線只是漫遊於病房當中。床邊放滿了各方送來的花籃和慰問卡，而床頭的一角，却突兀地放有一筒麥維他消化餅。

「那是上次鄭 Sir 來探望你時買來的。」鏘仔告訴她。

「我想吃一口。」Gi Gi 指指那餅。

家人把它遞給了 Gi Gi，Gi Gi 拆開，輕輕地咬了一口，但眼淚再也禁不住的簌簌而下。她知道，鄭沒有忘記她，他還記得那天在信德中心天台，因爲消化餅而責怪她的那件事。Gi Gi 猜想，大概今生不再有機會見到他了。一想到此，淚就流得如雨般不能自制。在旁的人都看到了，可是並沒有一人懂得勸止。

在客機靠窗的座位，等候起飛的時候，鄭錦富從手提袋中拿出了一張用膠袋套著、被烘得漆黑的碎紙，上面寫著密密麻麻的字。

鄭用心細讀一會，跟著又謹愼地把它放回袋內。他已經差不多能背誦出這些碎紙上，每一個可辨認的文字。

鄭從日記上發現，O逃亡的目的地，極可能是在二次世界大戰後一直沒有發生過戰爭和內亂的國家。

因爲一來他已厭倦戰爭，而且更重要的是，這也同樣是他哥哥的願望。

鄭錦富知道，到目前爲止，自二次世界大戰後一直沒有發生戰爭和內亂的國家只有八國。她們分別是：日本、不丹、芬蘭、瑞士、瑞典、挪威、丹麥和冰島。

O和徐素雯必定藏身於這八個國家的其中一個。

鄭錦富於是決定用自己的力量，不惜一切地要找到O。而那份要尋O的動力，已超越了一個執法者的職權和責任，更凌駕所有的道德式是非。對鄭來說，這已不是警察和犯人之間的關係，甚至他只是想「找」，而不是「抓」到O。他再不能肯定，要是當他再遇上O時，他是否會因爲對方逃走而開槍。他不知道，在未到那一刻確切來臨之前，他怎樣也無法想像。

他一心只想找到O，親口問問他對自己的看法。

對，鄭仍然執著O對自己的評價。

在台北要買到假護照比要買 Perrier 礦泉水容易。世上已再不存在鄭錦富。他可以安心地去追尋O。他選擇了從瑞典或冰島開始，因爲那是托爾的故鄉。不知爲何，鄭的直覺總覺得這兩個國家的可能性會較大。

至於托爾呢，本來鄭錦富只是想在證物室偷取O日記的殘骸，可是結果他還是把駱達華的剪報一併拿走。他想也許有一天，自己會有衝動把有關駱達華和O之間的故事寫下來。既然不能用槍制服他們，那寫在紙上也不賴呀！鄭錦富心想。

報紙上出現了這樣的簡短報導。

【本報台北專電】據台北官方證實，一名在台北監獄服刑之香港犯人，昨日中午於廣場自由活動時，被兇徒在監獄外的山坡用槍擊斃。

該名被殺之港人中文名譯名爲盧瑟夫，現年42歲。爲本港活躍之軍火集團成員，95年因田原丸號走私軍火案而被台灣警方拘捕，判刑12年。台灣警方表示，這次的暗殺事件，不排除爲軍火集團意圖殺人滅口。而有關當局方面亦承諾會檢討和加強現行台灣監獄方面的保安情況。

而O在槍殺了紅毛仔後，便同阿雯一起逃離了台灣。O向阿雯和自己承諾，紅毛仔將會是他所殺的最後一人。

他們先到了南美多個國家，O在那裏擁有著不少匿名戶口，二人將這些存款轉到了歐洲。那些錢足夠他們過著平靜和豐裕的生活，並可買到一個小國的護照。

跟著他們到了奧地利蘇黎世銀行，O用托爾給他的鑰匙，開啓了那匿名保險箱。

裏面放著的，是一整箱的黃金。O知道，托爾是用每次行動賺回來的錢，買下這些黃金的。

可是O了解到，即使他買下更多的黃金，仍無法彌補他在92年巴塞隆那中失去的那一塊。一塊代表了他生命和尊嚴的黃金。

阿雯仍是活像一台會吃會喝的音響器材，經常在家中——那屬於她和O的家——隨強勁音樂而起舞，或在客廳中玩著潛水遊戲。這些時候，O大多不會理會她，只是獨自躲回房間中看書，偶爾也會抽根煙，喝點可樂。

阿雯在二人第一次共度的聖誕節，終於得到了一部屬於眞正自己的車——不再是搶或偷回來的，這令她高興不已。

基本上，二人的生活是幸福和甜蜜的，只是唯一的問題，是阿雯發現，原來自己能接受她的男人是個刺客，却無法接受他在過去當刺客的期間曾經召妓。這是令阿雯最不滿的事，也是他們日後吵架的經常性起因。

只要阿雯在哪天忽然發覺風吹得不順心，雲布得不愜意，就馬上拿此事出來跟他大吵一頓。這難免叫O感到有點吃不消。但除此之外，他都很滿意。

有天，O突然想起了一個問題，於是問阿雯：「你那年在香港跟我走的時候，不是廿四歲的嗎？」

「對呀，幹嗎那樣問？」

「沒甚麼。」

O想起了當日在澳門媽閣廟門外，解籤老伯的一番話。本命年的女孩，確實令他生命起了不少的轉變。

——完——

後記

說《全職殺手》用了十八個月完成，其實並非完全正確。

兩冊出版，一共用了整整兩年。

本來，出版社預計了在第一本出版後一個月出版第二本。可是我卻因爲出版了第一本，看到了用整齊打字而成的書，而又產生了修改結局的意念。

初時，我只是希望稍爲修改下下有關鄭錦富的情節，誰知改故事就是這麼的一回事，它就像排骨牌遊戲，我只想稍稍動一下罷了，但牽連卻很大，於是一改再改，最後甚至到差點無法收拾的地步。

鍾偉民兄常戲說我這種不斷刪改的性格，最終會弄得要站在書局收銀機旁，讀者一面付款，我一面拿著書來改的慘況。

但感謝上帝，最終還是完成了。

我本身是較喜歡這個版本的，因爲當中有較多屬於我個人的感情。

值得談談的，是故事中的兩段，其中是有關七叔在少年時中緬山區的戰事中，緬軍的印度兵團把中國軍俘虜排在陣前，然後操向拉牛山陣地的一段，確是眞有其事。可是實情並非如故事中所描述般。當時守在第一排陣地的副營長劉占先生堅持不開槍，讓緬軍操進陣地。於是緬軍的印度兵團以爲中國軍投降，於是便越過了陣地的木柵，誰知在戰壕中的中國軍士兵突然躍出，用中文大喊：「孤軍兄弟們趴下！」

於是排行在前的中國士兵俘虜全都趴下，劉占副營長則帶領兄弟們用步槍刺刀廝殺，結果那場肉搏戰是孤軍獲得了勝利。劉占先生在該役中身負重傷，而鄒浩修營長則下令把被俘的緬軍放回，而印度兵團的士兵則就地槍決，並挖出心肝，用來祭典陣亡的中國士兵。

借用了這段事實之餘還隨便篡改了史實，這眞的有損孤軍的情操，因此有必要再次交待一番。

另外，有關大嶼山西南的水陸邊境問題，由於當年大英帝國在與清廷劃訂水域界線時疏忽，因此大嶼山榕樹仔以南，一直至分流角的一段海岸線，就出了一種「陸上香港管，下水公安理」的奇異狀態。

但這問題一直到了九七年一月，粵港兩地政府經了長達九年的磋商，終於簽訂了兩地邊界管理範圍線諒解備忘錄，清晰地釐訂了本港的水陸界線。

其中一例爲：大嶼山以西一海浬水域納入港方邊界。這樣的條例，便解決了長久以來雙方船隻誤闖水域的問題。

可是，由於本小說是構思於條約簽訂之前，因此故事的發生時間，即使已在條約簽訂之後，但故事仍保留著原來的水域界線。

在此，實在要多謝許多朋友的幫忙，全靠他們的支持和欣賞，《全》書得以有機會在不久將來拍成電影。首先是邵國華先生，他在看過我的手稿後便大力支持我停下其他工作，專心撰寫此書，而張達明、黃秋生兩位則義務地替我聯絡了不少電影人，特別以黃秋生先生一向給人「事事罵」的形象，卻出奇地大讚《全》書。這是令不少電影人想讀一下此書的原因。而最重要的一位，則是張堅庭先生，他在未完全知道結局的情況下，就買下了此書的電影版權。為《全》書投下了信心的一票，這實在不勝感激。

其餘還有不少朋友肯幫忙推介《全》書，如雷宇揚、谷德昭、林超榮、阿寬和林海峰等。對此我眞的感激不盡。

當然，還有那些寄信來鼓勵和支持我的讀者。讓我告訴你，你們的每一封信我都有看，看過後會整齊地放於檔案之中。某些時候，讀者在信中說的一句評語我也可能會花上半天去思考它的正確性呢！

有些時候，看見讀者在信中說：「我今天才買回來，結果飯後花了兩小時讀完，我覺得……」

我每當看到此，就往往很想提出抗議。怎麼可以兩小時就看完一本呀？即使一目十行，這時間也很難教作者接受，我花了兩年時間才寫完呀，怎麼你兩個小時就說讀完了？我可不是要求你同樣地用兩年時間去讀，但也不妨放慢和用心一點，可能會感受到你所忽略的東西。

但亦可能看過後的評價依然一樣，但最低限度我會感覺好一點。

一直以來，我都認爲流行小說可以較爲認眞一點，而嚴肅的作品也可顯得有趣一些。兩者能在當中找到一個平衡。而讀者眞正需要的小說，並非是形式上破格至不能被理解的後現代文字，而是一個故事。

小說的本質就是說故事，這是最基本的。

我不是說《全》書是甚麼了不起的作品，只是我希望以這書爲一個開始，嘗試創作一些較認眞的流行小說，嘗試尋找一個商業和藝術之間的平衡點。

不管嘗試是成功或失敗，希望有天會是由你寫信來告訴我。

可以嗎？

十二月四日

彭浩翔

彭浩翔作品簡介

1994年　短篇小說集《進攻女生宿舍》　壹出版
1995年　短篇小說集《黃昏動作園》　壹出版
短篇小說集《床的復仇故事》　壹出版
編寫商業電台廣播劇《青春奇怪劇場——四條恐龍》劇本（AGNES部分）
編寫電影《可口可樂原創N次方之天空小說》劇本（林海峰合編）（註①）
中篇小說《愛麗絲的純情夢遊》　商台出版
編寫商業電台廣播劇《白襪世界》劇本
1996年　文學劇本《天空小說》（與影帶一併發售）　商台出版
1997年　筆記小說《英年早睡的我》插畫／歐陽應霽　邊渡出版
長篇小說《全職殺手》　邊渡出版
1998年　中篇小說《愛得喪盡天良》　邊渡出版

①本片榮獲1995年《號外》雜誌「BEST TEEN-CYBER-AGE CULT」獎。
並應邀參予多個影展，包括：

日本 P.I.A. 國際電影節
三藩市國際電影節
蒙彼利埃華語電影節
科羅拉多 ASPEN 短片節
溫哥華國際電影節
鹿特丹國際電影節
香港國際電影節

附錄：電影及歌曲目錄

第一章之 1

《黑色追緝令》
Leon ：The Professional
導演：Luc Besson
主演：Jean Reno
Natalie Portman

第一章之 2

《收買人命》
The Shock
導演：Robin Davis
主演：Alain Delon
Katherine Deneuve

第一章之 3

《最後任務》
Two To Tango
導演：Heclor Olivera
主演：Don Stroud
Aprienne Sachs

第二章之 1、2

《弦樂小樂曲》
G大調室樂組曲
Eine Kleine Nachtmusik
作曲：莫札特

《金田一之少年事件簿》
主演：友扳理惠
堂本剛

第四章之 1

《未來戰士續集》
Terminator2 : Judgement Day
導演：James Cameron
主演：
Arnold Schwarzenegger

第四章之 2、3

《未來總動員》
12 Monkeys
導演：Terry Giliam
主演：Bruce Willis
Brad Pitt

《驚悚12小時》
Siege
導演：Tom Nardini

第五章之 1

《費城》
Philadelphia
導演：Jonathan Demme
主演：Tom Hanks
Denzel Washington

第五章之 2

《蝙蝠黨》
The Vampiresl
導演：Louis Feuillade
主演：Edouard Mathe
Natalie Portman
Musidora（Irma Vep）

第六章

《蘇絲黃的世界》
The World of Suzie Wong
導演：Richard Quine
主演：William Holden
Nancy Kwan

第七章之 1

《山丘上的情人》
The Englishman Who Went Up A Hill But Came Down A Mountain
導演：
Christopher Monger
主演：Hugh Grant
Tara Fitzgerald

第七章之 2

《Without You》
作曲、填詞：
P. Ham & T. Evans
主唱：Air Supply

第八章

《2001太空漫遊》
2001：A Space Odyssey
導演：Stanley Kybrick
主演：Keir Dullea
Gary Lookwood

《龍虎風雲》
City on Fire
導演：林嶺東
主演：周潤發　李修賢

第十章

《英雄本色》
A Better Tomorrow
導演：吳宇森
主演：周潤發
張國榮
狄龍

第十二章

《美國舞男》
American Gigolo
導演：Paul Schrader
主演：Richard Gere
Lauren Hutton

第十七章

《捍衛戰警》
Top Gun
導演：Tony Scott
主演：Tom Cruise
Kelly Mc Gillis

第十九章

《至尊計狀元材》
No Risk, No Gain
導演：向華勝　黃泰來
主演：譚詠麟　劉德華
陳百祥

國家圖書館出版品預行編目資料

全職殺手之美麗街的約會／彭浩翔著；
．——初版．——臺北市：大塊文化，
1998〔民87〕
面；公分．——（catch；12）

ISBN 957-8468-53-9（平裝）

85.7　　87010727

1 1 7 台北市羅斯福路六段142巷20弄2-3號

廣告回信
台灣北區郵政管理局登記證
北台字第10227號

大塊文化出版股份有限公司　收

請沿虛線撕下後對折裝訂寄回，謝謝！

地址：______市／縣______鄉／鎮／市／區________路／街______段______巷

______弄______號______樓

姓名：

大塊 LOCUS 文化

編號：CA 12　　書名：全職殺手之美麗街的約會

大塊 LOCUS 文化

讀者回函卡

謝謝您購買這本書，為了加強對您的服務，請您詳細填寫本卡各欄，寄回大塊出版（免附回郵）即可不定期收到本公司最新的出版資訊，並享受我們提供的各種優待。

姓名：________________ **身分證字號**：________________

住址：________________________________

聯絡電話：(O)________________ (H)________________

出生日期：______年______月______日

學歷：1.□高中及高中以下　2.□專科與大學　3.□研究所以上

職業：1.□學生　2.□資訊業　3.□工　4.□商　5.□服務業　6.□軍警公教　7.□自由業及專業　8.□其他________

從何處得知本書：1.□逛書店　2.□報紙廣告　3.□雜誌廣告　4.□新聞報導　5.□親友介紹　6.□公車廣告　7.□廣播節目8.□書訊　9.□廣告信函　10.□其他__________

您購買過我們那些系列的書：

1.□Touch系列　2.□Mark系列　3.□Smile系列　4.□catch系列

閱讀嗜好：

1.□財經　2.□企管　3.□心理　4.□勵志　5.□社會人文　6.□自然科學　7.□傳記　8.□音樂藝術　9.□文學　10.□保健　11.□漫畫　12.□其他_____

對我們的建議：________________________________

____

____

LOCUS

LOCUS

LOCUS

LOCUS